100 CHOSES À FAIRE AVANT D'AVOIR 6 ANS

Tous les trucs rigolos, bizarres, voire non
recommandables auxquels il faut s'attendre
de la part des petits êtres de ton espèce

SALLY NORTON

MARABOUT

À George et Kate,
À la mémoire de mon adorable papa, Ray Norton

INTRODUCTION

Félicitations, tu es né! Mais ne te contente pas de rester là à faire des gargouillis sur ton tapis d'éveil. Tu as beaucoup de choses à faire avant d'avoir six ans, avant qu'arrive le jour où tu rentreras à la grande école. Pour être précis, tu as 100 choses à faire.

Aujourd'hui, tu n'es encore qu'un tout petit bébé, mais en un clin d'œil, tu seras prêt à rentrer à la fac. Tu seras celui qui a entièrement transformé la définition du mot « vacances » pour tes parents, un enfant qui sait parfaitement tirer son parti d'un système de bons points et un être humain complètement évolué, capable d'avoir le dernier mot en en utilisant un seul : « non », « non », et « non ».

Parfois tu trouveras le parcours du berceau au bac effrayant, ou simplement déroutant. Mais ne t'en fais pas : beaucoup de gens s'inquiètent un jour ou l'autre d'être le bébé qu'on jette avec l'eau du bain, et tu ne seras pas le premier à te renverser un bol de céréales sur la tête par mégarde.

Mais d'autres fois, tu sauras tourner les choses à ton avantage. Avec des petits pots de peinture au doigt, tu feras des dessins tellement beaux que tes parents seront tentés de les vendre sur eBay comme œuvres d'art moderne « façon Jackson Pollock », ou bien tu te montreras si incroyablement doué pour le football qu'ils seront convaincus d'avoir engendré le nouveau Zinedine Zidane.

Une chose est sûre : le temps va passer plus vite que n'importe qui aurait pu le prévoir et, un beau jour, tu auras six ans. Alors profite de ces instants. Dévale toutes les collines que tu trouves, saute dans toutes les flaques (même si tu n'as pas mis tes bottes) et ne rate pas une occasion d'essuyer ton nez qui coule sur la jupe de maman. Car bientôt ce temps béni de l'insouciance sera derrière toi, et tu rentreras dans le monde de la grande école pour y vivre d'autres aventures.

Savoure chaque instant, vis chaque journée à fond, et profite autant que tu peux !

DE 0 À 1 AN

À LA CONQUÊTE DE TON PETIT MONDE

Au début de la première année de ta vie, tu seras incapable de soutenir le poids de ta propre tête, ou de faire la différence entre ton papa et un portemanteau. Mais ça n'est pas une excuse pour rester là paresseusement à faire des bulles de lait. Si tu ne prends pas les choses en main, tu vas te rendre compte un beau jour que tu as un an, et tu regretteras tout ce que tu n'as pas fait pendant qu'il était encore temps.

C'est difficile à croire aujourd'hui, quand on te voit crachouiller sur l'épaule de ta maman, mais un jour tu seras un adulte responsable, avec un métier – tu seras peut-être professeur, médecin, voire même un juge d'application des peines qui envoie les gens en prison. Si ça se trouve, tu deviendras même une pop star, un footballeur, ou le Dalaï Lama !

Pour être sûr de prendre la voie du succès, tu as quelques objectifs essentiels à atteindre aujourd'hui – mais attention : tu n'as que douze mois pour ça. Ne compte pas sur tes parents pour t'aider. Si tu es leur premier enfant, ils n'osent sans doute même pas encore te couper les ongles de pied, donc ce n'est pas eux qui vont te montrer comment rouler du tapis de bain vers le petit coin minuscule qui se trouve derrière les toilettes pendant qu'ils cherchent une couche propre, et si ce sont déjà des parents chevronnés, ils seront trop occupés à empêcher leurs autres enfants de détruire la maison pour te montrer comment faire le prout le plus bruyant de toute l'histoire de l'humanité.

Alors, au travail : tu as une douzaine de grenouillères propres à salir par jour, une dizaine de biberons à régurgiter par semaine, et beaucoup d'objets à mordiller en bavant pour essayer de faire sortir une ou deux dents dans l'année. Mais si tu en as le courage, tu peux arriver à faire tout ça avant de souffler ta première bougie d'anniversaire. À toi de jouer !

TE FAIRE RÉVEILLER PAR TA MAMAN QUI VIENT VOIR SI TU RESPIRES TOUJOURS

Tu es là, paisiblement endormi dans les bras de Morphée… Tu rêves que tu baignes dans une rivière de lait, doucement porté par le courant, à regarder des nuages et des visages souriants flotter au-dessus de toi, quand tout à coup tu sens le contact d'un objet froid en verre sur le bout de ton nez. Tu ouvres les yeux et là, tu vois ta mère penchée au-dessus de ton berceau, l'air soucieux, tenant à la main un petit miroir qu'elle a placé sous tes narines.

C'est tout de même curieux que les mêmes parents qui passent des heures à respecter un rituel du coucher long et compliqué pour s'assurer que tu t'endormiras paisiblement persistent à te réveiller sept fois par nuit pour vérifier que tu respires toujours. Et comme si ça ne suffisait pas, ils veulent en plus que tu te rendormes tout de suite pour pouvoir retourner regarder la deuxième moitié de leur épisode des *Experts à Miami*.

RESSEMBLER À PAPA

Ne t'inquiète pas, ce n'est pas grave. La plupart des bébés ressemblent à leur papa juste après la naissance. Et ça ne tient pas qu'à la raie sur le côté ou au maillot de football.

À ton arrivée, tu remarqueras que tout le monde tient absolument à dire que tu as les yeux de ton père, le nez de ton père, les oreilles de ton père, à moins que ça ne soit cette manie d'avoir toujours quelque chose à boire à la main. À l'origine, ce réflexe relève de l'instinct de protection : c'est pour s'assurer que le père est sûr que l'enfant est le sien et qu'il ne le tue pas. Aujourd'hui, c'est pour s'assurer qu'il est sûr que l'enfant est le sien, et qu'il continue à sortir les poubelles.

Ça ne pose aucun problème si tu es un garçon, mais ça peut être gênant si tu es une fille et que ton papa est boxeur professionnel ou pilier de rugby. Si c'est le cas, il va falloir que tu tiennes le coup pendant cette passe difficile, en attendant le jour où tu te mettras à ressembler plus à ta maman.

À noter : si ta maman est boxeuse professionnelle ou pilier de rugby, tu es foutu.

3 FICHER LA TROUILLE À UN DE TES ONCLES AVEC TA FONTANELLE

Après avoir été pris en photo avec ton oncle aussi fier que terrifié de t'avoir dans ses bras, on te laissera sans doute cinq minutes à te faire câliner maladroitement par lui pendant que ton papa fait une description détaillée de ta naissance aux autres membres de la famille présents. Si ton oncle n'a pas encore d'enfant, c'est l'occasion parfaite de lui ficher une trouille bleue dont il se souviendra longtemps.

La première chose qu'il remarquera, ce sont les palpitations sous ta fontanelle. Personne n'aura pris la peine de lui dire que les os de ton crâne ne sont pas encore complètement soudés, et que ce petit creux au sommet de ta tête est parfaitement normal – il croira qu'un alien s'apprête à surgir de ton cerveau. À ce moment-là, regarde-le bizarrement – avec ton strabisme du nouveau-né, ce sera parfait. Si tu arrives à le regarder en coin d'un œil, tout en regardant la télé de l'autre, tu as moyen de lui filer les chocottes comme jamais.

Quand tu sentiras son bras commencer à fatiguer sous toi, ce sera le moment de marquer le coup final. Agite un bras pour le dégager de ta couverture à langer, en te donnant un petit coup-de-poing sec dans les côtes. Commence à pleurer frénétiquement, en regardant ton oncle d'un air accusateur. Il te tiendra comme si tu étais une bombe sur le point d'exploser... jusqu'à ce que ta maman vienne à ton secours.

Après cet incident, tu auras très peu affaire à ton oncle, jusqu'au jour où ta maman le forcera à te garder un soir quand sa baby-sitter lui aura fait faux bond.

4 MANIFESTER UNE AVERSION IRRATIONNELLE POUR UN MEMBRE DE TA FAMILLE

Après ta naissance, il y aura tellement de gens qui viendront te rendre visite que tu auras du mal à les différencier les uns des autres. Certains sont très amusants, à sourire tout le temps et à faire des grimaces bizarres. Mais mieux vaut ne pas commencer à avoir des préférences pour les uns ou les autres avant de savoir qui sont les mieux placés dans la hiérarchie familiale, comme les grands-parents ou autres personnes susceptibles d'être généreux en cadeaux de Noël et en services de baby-sitting.

Cependant, une chose est sûre : tu ne les aimeras pas tous. Il y en aura un ou deux qui t'inspireront une terreur absolue. Il est difficile d'expliquer pourquoi exactement ce seront ces personnes-là et pas les autres – peut-être est-ce à cause de leur visage boutonneux, ou parce qu'un tu ne les as pas entendus entrer dans la pièce et que tout à coup tu les as vus là, tout près de toi, avec leur gros manteau noir et leur grosse barbe noire. Inutile d'essayer de comprendre ce que tu n'aimes pas chez ces personnes-là. Même si ton papa et ta maman te disent : « N'aies pas peur de tonton Antoine, mon chéri. Il va devenir ton parrain… »

CONTINUE DE HURLER !

Ta maman essayera peut-être de te calmer en te mettant dans les bras de tonton Antoine. Continue de crier, et même de plus en plus fort, jusqu'à ce qu'il te rende à tes parents.

Ton papa et ta maman tenteront de rassurer tonton Antoine en lui disant qu'en fait tu l'aimes beaucoup, mais que tu as juste faim et que tu es fatigué. Mais une fois qu'il sera parti, ils parleront de lui en se demandant s'il y a quelque chose qui cloche chez lui, et en se disant que peut-être les bébés sont comme les chiens, et savent d'instinct reconnaître quelqu'un de mauvais. Ce qui est bien possible.

5. DORMIR COMME UN BÉBÉ : FAIRE LA JAVA TOUTE LA NUIT

Commence par donner à tes parents l'illusion qu'ils n'ont rien à craindre en dormant profondément pendant 99 % du temps les trois premiers jours.

Ils seront tellement enchantés que tu « fasses déjà tes nuits » qu'ils s'installeront bien tranquillement le soir devant un bon film à manger des chips comme au cinéma jusqu'à pas d'heure. Quand on leur conseillera de « dormir pendant que le bébé dort », ils n'en tiendront pas compte parce que tu es, bien entendu, un bébé particulièrement calme et facile.

Une fois les amis repartis et grand-maman rentrée chez elle après s'être assurée que plus personne n'a besoin d'elle, le moment est venu de te réveiller. Et de ne plus te rendormir.

À partir de ce moment, il va te falloir environ six mois pour arriver à faire la différence entre la nuit et le jour. Mais ne t'inquiète pas, il y a plein de choses à faire. De quoi ne pas fermer l'œil de la nuit... Pourquoi ne pas :

* Pleurer parce que tu as faim ?

* Pleurer parce que tu as des gaz ?

* Pleurer parce que tu ne veux pas être dans les bras ?

* Pleurer parce que tu veux être dans les bras ?

* Pleurer parce que tu es fatigué ?

Petit à petit, tu apprendras à reconnaître ton rituel du coucher : les volets seront fermés dans ta chambre, une petite boîte à musique carillonnera une berceuse, et ta maman dira à ton papa : « Mais arrêêêête de faires papouilles sur le ventre au bébé, ça va le réveiller. »

6 UTILISER TA MAMAN COMME NÈGRE...

... pour écrire tes cartes de remerciements. Les adultes qui t'ont fait un cadeau attendent que tu leur écrives une carte de remerciements, même si tu n'es pas encore capable de tenir un stylo sans te le planter dans l'œil. La politesse, c'est important : si tu n'envoies pas à ta tata un courrier de remerciements dans la semaine après avoir reçu son cadeau, elle ne t'offrira plus jamais rien, ou même pire, elle t'offrira des vêtements. La meilleure solution, c'est d'utiliser ta maman comme nègre. Voici ce qu'elle doit faire :

1. S'adresser au destinataire par son nom, remercier pour le cadeau, et faire un commentaire amical sur ledit cadeau. Par exemple : « Chère Tata Muriel, merci pour le hochet que tu m'as offert. Il me plaît beaucoup, surtout à cause des traces de dents sur la poignée : c'est tellement touchant de savoir que je ne suis pas le seul bébé à avoir joué avec. »

2. Dire quel usage tu comptes faire de ce cadeau : « J'ai l'intention de le secouer dans tous les sens et de mâchouiller la poignée. »

3. À la fin de la phrase, ajouter trois points d'exclamation !!!

4. Donner quelques nouvelles sur ce que tu fais en ce moment : « J'ai passé un excellent séjour à la maternité, et j'espère bientôt commencer à reconnaître les membres de ma famille. »

5. Terminer en demandant des nouvelles du destinataire : « J'espère que ton travail à l'Armée du salut te plaît, et que tu bois un peu moins que d'habitude. »

Astuce : *pourquoi ne pas demander à ta maman de joindre une photo de toi tenant le cadeau de tata Muriel à la main ? Après tout, elle a beaucoup de temps pour elle pour l'instant : tu passes presque tout le temps à dormir.*

7 FIXER L'EMPREINTE DE TES PIEDS POUR LA POSTÉRITÉ

Des millions de parents ont l'idée merveilleusement originale de prendre les empreintes des pieds de leur enfant nouveau-né. Ensuite, ils font encadrer l'image et l'accrochent au mur dans l'entrée, ou l'offrent à Mamie pour Noël.

Si tes parents n'ont pas pris la peine d'emporter un kit d'empreinte dans le sac de maternité pour fixer l'empreinte de tes pieds le jour de ta naissance, ils ont intérêt à ne plus perdre trop de temps, parce que tes pieds grandissent de jour en jour, et des pieds, forcément, plus c'est petit, plus c'est mignon. Vite, l'horloge tourne !

Imagine comme ce sera amusant, quand tu seras grand, de comparer tes pieds immenses avec les minuscules empreintes de ta naissance – succès garanti aux fêtes d'anniversaire de 18 ans. Il y a deux possibilités :

* L'argile, incontestablement la version de luxe, qui offre des sensations uniques quand elle se glisse entre les orteils. Pas évidente à nettoyer, tu en retrouveras des petits résidus séchés dans tes chaussettes pendant plusieurs semaines.

* L'encre fait aussi très bien l'affaire, même si ta maman s'inquiétera probablement de savoir si elle est bio ou pas, et si elle risque d'abîmer ta peau délicate.

Surtout, prends le temps de faire ça bien. Est-ce que Léonard de Vinci a peint la Joconde en expédiant le travail en dix minutes à l'imprimerie du coin de la rue ? Non. C'était un artiste, et toi aussi tu en es un. D'ailleurs, ton œuvre à toi est plus difficile à réaliser, puisqu'elle se fait avec les pieds. Fais autant d'essais que tu le juges nécessaire et ne te mets aucune pression pour te dépêcher. Même si tu dois utiliser tout le stock d'argile ou d'encre de la boutique, ce n'est pas grave : il s'agit de tes pieds, et ils en valent la peine, même si le coût de l'opération finit par revenir trois fois plus élevé à ton papa et ta maman.

8 DORMIR LES YEUX OUVERTS

Les premiers jours, tu vas recevoir énormément de cadeaux, et la meilleure façon de s'assurer que personne ne va t'en piquer est de dormir les yeux ouverts. D'accord, en théorie on devrait pouvoir faire confiance à ses parents, mais entre nous, depuis combien de temps connais-tu les tiens ? Mieux vaut ouvrir l'œil pour être sûr qu'il ne se passe rien de louche tant que tu n'es pas vraiment fixé.

Note : dormir les yeux ouverts est une chose que seuls les tout-petits bébés savent faire, et qui se perd bien vite. D'ailleurs les adultes qui ont appris à le faire sont en prison – alors profites-en tant que tu en as le droit.

Au passage, prends le temps d'expérimenter toutes les possibilités. Pourquoi ne pas dormir avec un seul œil ouvert, comme un espion ? Ou carrément opter pour l'effet zombie maximum en révulsant les yeux vers l'arrière, et en laissant juste le blanc de l'œil visible ?

FAIRE TON PREMIER SOURIRE SANS DENTS

Au cours des premières semaines de ta vie, tu vas sans doute être pris en photo des centaines de fois. Voici quelques exemples des poses dans lesquelles tu vas être immortalisé :

* À la maternité, dans les bras de ta maman (qui a vraiment l'air crevée).

* Dans ton petit berceau, avec ton papa penché au-dessus de toi.

* Enroulé dans une couverture marquée « Assistance Publique – Centre hospitalier de Créteil » (parce que papa aura oublié d'apporter la couverture en coton bio tricotée à la main que maman a payée 60 € quand elle avait les hormones à bloc).

* Dans les bras de ton papy.

* Sur l'épaule de ta mamie.

* Dans ton bain.

* Allongé sur un lit.

* Dans le canapé, calé contre un ours en peluche plus gros que toi.

* Avec la copine enceinte de ta maman.

* Avec le pote de ton papa qui n'aime pas les bébés.

* Dans ton siège auto tout neuf, avec le bonnet tricoté par une amie de ton arrière-grand-mère sur la tête (photo floue).

La liste est interminable. Tes parents vont essayer de capturer chaque premier instant, donc autant leur donner quelque chose qui montre que tu y mets du tien : ton tout premier sourire !

Le seul problème, c'est que quand tu arriveras enfin à le faire, il y aura inévitablement un rabat-joie pour dire : « Ce n'était pas un vrai sourire, ce sont juste des réflexes ! » Mais, bon, tu ne peux pas non plus te mettre tout le monde dans la poche.

10

FAIRE HURLER TON PAPA EN T'AGRIPPANT AUX POILS DE SON TORSE

Sais-tu que ton papa peut pousser des cris incroyablement aigus si tu t'accroches aux poils de son torse et que tu tires dessus impitoyablement ? Comme ça peut faire un peu peur de l'entendre hurler comme ça, n'oublie pas de te mettre à pleurer toi aussi. De toute façon, c'est toi le plus important de la maison, donc c'est toi qui dois pleurer le plus fort. Avec un peu de chance, ta maman le grondera en lui demandant de faire moins de bruit.

À propos de ta maman, pourquoi ne pas t'accrocher à ses boucles d'oreilles la prochaine fois qu'elle te fait un câlin ? Ou, à défaut, aux petits cheveux bouclés autour de son visage ? Ça devrait lui permettre de comprendre pourquoi ton papa faisait tant de boucan.

Et souviens-toi que ton premier Noël est l'occasion idéale d'utiliser ce réflexe d'agrippement primaire : il suffit de tirer bien fermement sur une des branches du sapin, et il devrait tomber du premier coup.

11 ASSISTER À QUELQUE CHOSE D'IMPORTANT AVANT D'ÊTRE CAPABLE DE T'EN SOUVENIR

Si ça se trouve, tu as rencontré quelqu'un d'incroyable aujourd'hui : une star de cinéma, le premier ministre, ou même le pape ? Ou bien peut-être as-tu assisté à un événement exceptionnel, comme la finale de la coupe du monde de football, ou un mariage princier ? Eh bien, essaie de bien en profiter sur le coup, parce que quelques minutes plus tard, tu n'en auras plus aucun souvenir.

Si tu es un premier-né, tes parents vont se mettre en quatre pour t'emmener dans les endroits les plus fous et t'offrir les expériences les plus extraordinaires, quel que soit le prix que ça leur coûte ou les kilomètres que ça leur fait faire. Des parents plus expérimentés auraient plutôt tendance à te donner une vieille boîte en fer et une cuiller en bois pour jouer. Non seulement c'est moins cher, mais en plus ils savent que ça revient au même de raconter que vous avez fait des voyages magnifiques, en disant simplement que l'appareil photo était cassé entre ta naissance et ton quatrième anniversaire.

Parce qu'à vrai dire, tu ne te souviendras jamais de cette croisière autour du monde ou d'être allé à l'anniversaire d'une célébrité. Ton premier souvenir, ce sera plutôt d'avoir grimpé sur les pieds de ton papa en disant que tu n'aimes pas les petits pois, ou la fois où une pile de chaises t'est tombée dessus à la crèche.

Pour résumer, tu ne te souviendras pas du jour où ton papa a gagné un million d'euros au loto, mais tu te souviendras très bien du jour où il est tombé de tout son long dans les aiguilles de pin en maillot de bain. La mémoire a comme ça ses curiosités.

12 TE FAIRE UN BEAU BRONZAGE

Rien de tel qu'une belle peau dorée pour être à ton avantage et arborer fièrement une mine splendide façon « retour des Seychelles » que tous les autres bébés t'envieront. Ce sera vraiment le comble du chic : cette superbe couleur pain d'épice fera ressortir tes yeux pétillants de malice, et tes dents (si tant est que tu en as…) n'en paraîtront que plus blanches. Mais surtout, ton bronzage fournira un sujet de conversation très opportun entre ta maman et les autres adultes. Tu pourras les entendre lui dire : « Tu sais, pour les bébés, l'écran total est indispensable… », ou : « Je vais te dénoncer à la DDASS ! »

Voici comment rejoindre le club des bronzés :

* Dès que tu pars faire une promenade en poussette, balance ton chapeau et tes chaussettes par-dessus bord (de préférence quand ta maman regarde ailleurs) afin de profiter au maximum des UV.

* Ta peau aura pris une belle couleur rose vif. Ne t'inquiète pas : au bout d'un jour ou deux, elle va devenir brune comme par magie – à moins qu'elle se mette à peler. Si ton papa et ta maman sont des apprentis parents, ils t'emmèneront peut-être aux urgences, de peur que tu aies attrapé un virus mortel. Le docteur se contentera de leur dire froidement que tu es bronzé comme un Petit Lu, et qu'ils sont de mauvais parents. S'ils sont plus expérimentés, ils se mettront juste à se rejeter la faute l'un l'autre : « Comment ça tu as oublié la crème solaire ? Par contre, le pack de bière, ça tu ne l'as pas oublié, hein ? » (En bref : plus tu seras bronzé, plus tes parents feront l'objet de regards désapprobateurs, donc ça en vaut la peine).

* Maintenant que tu as ton beau bronzage, arrange-toi pour faire acheter à tes parents quelques barboteuses et quelques bodys. Ils constitueront l'essentiel de ta garde-robe d'été et, après les journées où le soleil aura brillé au zénith, ils te permettront d'afficher fièrement ta peau brunie à grand effort.

13

TOMBER AMOUREUX DE TON REFLET

T'admirer longuement dans le miroir est une excellente manière d'occuper la journée. Voici quelques trucs à essayer :

* Sourire.

* Sourire quand le bébé dans le miroir te sourit en retour.

* Faire « ahhhh ».

* Regarder le bébé d'en face faire « ahhhh ».

* Jouer à « coucou me voilà » : tourne le dos au miroir, puis retourne-toi d'un seul coup pour vérifier que le bébé est toujours là. Gazouiller de plaisir parce qu'il est effectivement toujours là.

* Regarder le bébé de très, très près. Écraser ton nez sur le miroir, regarder le bébé dans les yeux, et tomber amoureux de lui.

* Remarquer la présence étrange de l'adulte qui tient le bébé d'en face. Il te rappelle quelqu'un. Mais pourquoi fait-il cette tête ?

* Ignorer l'adulte en question et embrasser le bébé dans le miroir.

14 AVOIR UN(E) PETIT(E)-AMI(E)

Si tes parents ont des amis qui ont un enfant du même âge que toi et du sexe opposé, leur blague récurrente préférée sera de se raconter que vous allez vous marier quand vous serez grands. Le mieux est sans doute pour l'instant de ne pas les contredire – ce serait indélicat de les vexer en leur disant à un si jeune âge que tu « vaux mieux que ça ».

Vos parents prendront beaucoup de photos de vous deux, ils trouveront extrêmement drôle de vous mettre ensemble dans la même baignoire ou dans le même berceau. Un des papas dira qu'il n'y a pas intérêt à ce qu'il vous retrouve tous les deux sous une couette dans seize ans, et tout le monde pouffera de rire.

Dès que tu seras assez grand pour commencer à parler, il serait judicieux de faire remarquer aux amis de ton papa et de ta maman qu'ils devraient peut-être commencer par se marier eux-mêmes avant d'essayer de caser leurs enfants. Ça devrait leur rabattre leur caquet pendant quelque temps.

15 TOMBER DU LIT DE TES PARENTS

Il faut le reconnaître : ça fait mal. Mais ne t'en fais pas, ce sera une expérience beaucoup plus douloureuse pour ta maman que pour toi.

Pour un effet de surprise maximum, fais-le le tout premier jour où tu arrives à te retourner. Ce qui veut dire qu'il faut faire une double roulade de côté, parce que te maman aura pris toutes ses précautions et t'aura donc mis bien au milieu du lit, où elle est certaine que tu es en sécurité.

Avant de passer à l'action, assure-toi que certaines conditions sont réunies :

* Maman doit être aux toilettes.
* Papa doit être dans la pièce d'à côté, ou dans la pièce juste en dessous.
* Ils doivent avoir tous les deux mal au crâne car ils auront fait la fête la veille.

Personne n'a jamais pu observer un bébé tomber d'un lit en roulant sur le côté, mais il a été établi que la façon la plus efficace d'y parvenir est la suivante :

1. Se balancer de côté doucement puis de plus en plus fort, de manière à prendre de l'élan.
2. Et hop ! Faire une belle roulade de côté.
3. Tomber du lit (avec un bruit à faire peur qui résonne dans toute la maison).

À ce moment, voilà ce qui devrait se passer :

1. Maman se précipitera dans la chambre en remontant sa culotte, terrorisée et/ou en larmes.

2. Tu te mettras à pleurer. Mais pas immédiatement ! Une croyance répandue au sein de la communauté parentale veut que « s'ils pleurent, c'est qu'ils vont bien ». Il faut donc observer une pause mortellement longue d'environ dix secondes de silence, c'est-à-dire jusqu'au moment où ta maman viendra te relever.

3. Tu te mettras à redoubler de pleurs.

4. Ton papa arrivera à son tour, d'un pas tranquille, avec un journal à la main, en demandant : « C'était quoi ce bruit ? »

5. Ta maman te passera à ton papa, qui se mettra à te faire des grimaces. Tu peux maintenant te remettre à sourire.

6. Ton papa fera une autre sorte de grimace à ta maman, qui signifie « tu me déçois ».

7. Ton papa se remettra à lire le journal, pendant que ta maman te dira qu'elle ne te quittera plus jamais des yeux/qu'elle est désolée d'être partie lire *Voici* aux toilettes/qu'elle n'aurait jamais dû faire installer du parquet dans la chambre.

Note : tes parents seront quittes dans un an ou deux, le jour où ton papa oubliera de t'attacher dans ta poussette et qu'il te fera tomber face contre terre sur le trottoir.

16 MANGER DANS LA GAMELLE DU CHIEN

Le monde ne s'ouvrira vraiment à toi que le jour où tu commenceras à marcher à quatre pattes, et où tu pourras enfin commencer à explorer les endroits de la maison que tu ne connais pas.

Tu découvriras bientôt que les boulettes de pâtée pour chien au poulet son très à ton goût, bien plus que celles au bœuf, qui sont un peu écœurantes (contente-toi de sucer la gelée qui est autour des gros morceaux sans les manger). Ne te laisse pas tenter par les croquettes, cela dit : elles ont beau être excellentes, elles font vraiment trop mal aux gencives.

Astuce : *si tu n'as pas de chien, ni aucun autre animal chez toi, pense à te servir dans la poubelle dès que tu peux. Elle contient toujours des choses délicieuses.*

Quand tu seras lancé, tu te rendras compte qu'il y a tout plein d'autres expériences gustatives originales à faire et de façons inédites d'éduquer tes papilles. Pourquoi ne pas :

* Lécher les barreaux des cages au zoo.
* Sucer le bord d'une table recouverte d'une toile cirée graisseuse dans un café.
* Échanger ta tétine avec un petit copain au nez qui coule dans la salle d'attente du pédiatre.
* Passer ta langue le long des lattes d'un banc au parc.
* Essayer de voir quel goût a une poignée de caddie.
* Sucer les poils de la grosse brosse qui est posée par terre à côté des toilettes.

Il y a une infinité de possibilités.

Ta maman réagira à tout cela de façon très différente en fonction du fait que tu as ou pas des grands frères ou des grandes sœurs. Si tu es son premier enfant, elle t'aspergera de spray antiseptique et te décapera la langue à la lingette désinfectante. Sinon, elle te passera distraitement un coin de son gilet autour de la bouche pour t'essuyer, tout en continuant à discuter avec sa copine.

17 PIMENTER UN PEU LE RITUEL DU COUCHER

Même si personne ne dit jamais rien à ton papa qui s'endort tous les soirs dans le canapé devant la télé, il semblerait qu'il soit très important pour les enfants d'avoir un rituel du coucher bien défini. Rends les choses un peu plus palpitantes en observant ces quelques règles :

* Choisis un jouet ou un doudou bien particulier sans lequel tu ne pourras pas dormir. Ne te contente pas d'un lange en coton blanc carré : ils sont vendus par paquets de douze, et donc très faciles à remplacer. Idéalement, ton doudou fétiche doit être fait à la main, extrêmement cher, et ne se trouver que dans une boutique bien précise à Londres. (NB : Eurostar fait régulièrement des tarifs promotionnels sur les allers et retours Paris-Londres).

* Ne limite pas ton rituel du coucher à la maison uniquement. Pour t'aider à t'assoupir, une des meilleures solutions consiste à te faire conduire dans ton siège auto par ta maman pour quelques tours de périph, ce qui lui permet à l'occasion d'améliorer sa conduite.

* Frotte-toi la tête contre le matelas de ton berceau pendant toute la soirée. C'est une excellente manière de faire passer le temps, et ça te permettra de te faire une jolie calvitie à l'arrière de la tête.

* Ne prends pas la mauvaise habitude de t'endormir dans ton berceau, sinon elle risque d'être difficile à perdre. Mieux vaut rester toute la soirée allongé sur le ventre de ton papa.

* Fais croire à ton papa que tu ne peux pas t'endormir s'il ne te chante pas « Il était un petit navire » en boucle en te donnant son petit doigt à serrer.

18 SERVIR DE BONNE EXCUSE À TES PARENTS

Tant que tu ne sais pas parler (et peut-être même une fois que tu sauras parler, mais que tu auras le dos tourné) tes parents t'utiliseront comme raison pour se désister d'invitations auxquelles ils n'ont pas envie d'aller.

Par exemple :

* Je suis désolé(e) qu'on ne puisse pas se joindre à vous pour regarder l'Eurovision – je m'étais même fait un chapeau en forme de tour Eiffel - mais le bébé a de la fièvre et nous serions trop inquiets si nous le faisions garder.

* Nous nous réjouissions depuis ce matin de venir assister au récital annuel de votre chorale, mais Léna a fait une éruption cutanée bizarre, et je pense qu'il serait plus sage de rester auprès d'elle.

* Nous n'allons malheureusement pas pouvoir venir à votre soirée « libération par le cri primal ». Nathan a le choléra. Non, juste un tout petit – il devrait pouvoir retourner à la crèche lundi matin.

Ta maman et ton papa n'auront jamais autant apprécié de manger une pizza devant la Star Academy.

Note : essaie de ne pas rire ou faire des bruits joyeux en fond pendant que tes parents sont au téléphone en train de s'excuser pour leur absence. Reste silencieux, ou, à la rigueur, pousse de légers gémissements.

Astuce : *encourage tes parents à prendre des notes des excuses qu'ils inventent au téléphone, afin d'éviter d'utiliser la même deux fois de suite.*

19 LIRE UN LIVRE À L'ENVERS

Si tu veux impressionner ton papa, prends un livre, n'importe lequel : apparemment ça signifie que tu es très intelligent et que tu feras de hautes études. Aucune importance que tu le tiennes à l'envers ou que tu mordilles le coin des pages, de toute façon, c'est que tu es une vraie tête, et que tu vas pouvoir lui assurer ses vieux jours quand tu seras grand.

Si elle est d'humeur blagueuse, ta maman te mettra sur le nez une paire de lunettes dix fois trop grandes pour toi pour accentuer un peu le côté intello, puis te prendra en photo en train de « lire » le livre. Elle retrouvera la photo dans vingt ans, et se demandera pourquoi elle t'avait déguisé en Elton John – ou en Jacques Chirac à l'époque où il était maire de Paris.

20 RAMPER SUR UN SOL SALE EN GRENOUILLÈRE BLANCHE

Quand tu viendras de commencer à marcher à quatre pattes, ton papa ne pourra pas résister à l'envie de montrer tes exploits à ses amis quand ils seront invités à la maison. Bizarrement, ta maman ne sera pas complètement pour. Elle essaiera de dissuader ton papa, mais en vain : il n'en fera qu'à sa tête.

Voici ce qui devrait se passer :

1. Ton papa annoncera fièrement aux autres adultes qu'il faut vraiment qu'ils voient « ce que le bébé sait faire ».

2. Il te posera par terre dans la cuisine. Tu auras mis ta grenouillère blanche toute neuve.

3. Pas contrariant, tu traverseras la cuisine à quatre pattes en cavalant.

4. Les invités applaudiront.

5. Ton papa te reprendra dans ses bras.

6. Tout le monde repérera immédiatement les traces noires de graisse sur tes mains et tes genoux, et le morceau d'omelette, vieux d'une semaine, collé à ta jambe.

7. Les invités s'efforceront de parler d'autre chose, mais ils ne pourront pas s'empêcher de scruter les coins de la maison pour voir où ta maman range l'aspirateur et la serpillière, ou, à vrai dire, pour vérifier qu'ils existent.

8. Ta maman sera rouge de honte.

9. Les invités se demanderont s'ils risquent de tomber malade en mangeant dans cette maison.

Note : à partir de ce jour-là, tu porteras des grenouillères bleu marine. C'est beaucoup moins assommant que de nettoyer le sol de la cuisine.

DE 1 À 2 ANS

LES PREMIERS PAS VERS LA LIBERTÉ

Christophe Colomb a découvert l'Amérique, et Isaac Newton la loi de la gravité le jour où une pomme lui est tombée sur la tête, mais toi, tu vas découvrir des choses infiniment plus intéressantes encore cette année. Des choses aussi simples, par exemple, que la technique ancestrale qui consiste à se traîner sur les fesses pour aller d'un point A à un point B sans se compliquer la vie inutilement à essayer de marcher; mais aussi celle qui consiste à se tenir droit comme un piquet et totalement rigide, dont il a été prouvé qu'elle anéantit 97 % des tentatives d'adultes d'attacher un bébé dans une poussette; et enfin tout plein d'autres activités extrêmement amusantes, comme le fait de transvaser consciencieusement le contenu d'une poubelle dans une panière de linge propre.

Donne libre cours à tes envies et à ta curiosité: tu viens d'entrer dans l'âge communément appelé du « touche-à-tout » par la gent parentale. En voyant pour la première fois un objet que tu ne connais pas, tu apprendras bien vite à faire trois choses avec: le manger, l'ouvrir, ou le renverser. Et surtout, n'oublie pas que c'est ta maman qui est fautive quand on te retrouve en train de glisser du plan de travail de la cuisine recouvert d'huile d'olive. Elle apprendra bien vite à te surveiller de plus près.

Cette année, tu vas courir avant de savoir marcher, tirer la chasse d'eau alors que tu mets encore des couches, et écrire sur les murs alors que tu ne sais pas encore tenir un crayon correctement. Éclate-toi! Ouvre tous les tiroirs, mets tes doigts dans toutes les portes. Aies aussi conscience que c'est toi le maître: c'est toi qui leur montreras comment ouvrir les sécurités qu'ils installeront sur les portes de cuisine, et la barrière en haut de l'escalier: eux, ils seront incapables de se souvenir comment on fait.

21

RETROUVER TA CHAUSSETTE PERDUE ACCROCHÉE EN HAUT D'UNE GRILLE

S'il t'arrive un jour de perdre une chaussette dans la rue en allant au parc, ne te fatigue pas à inspecter le caniveau sur tout le chemin du retour, regarde plutôt en haut des grilles.

Il existe une loi tacite chez les adultes, selon laquelle lorsqu'on trouve une chaussette ou un gant perdu dans la rue, on doit l'accrocher sur la pointe d'une grille. La chaussette est soigneusement défroissée, puis glissée sur la pointe verticale. S'il s'agit d'un gant, on étire les cinq doigts de façon qu'il ait l'air d'une main qui te fait signe de loin.

Note : s'il n'y a pas de grille à moins de 20 mètres à la ronde, l'objet perdu sera déposé sur un muret ou un poteau.

Astuce : *personne ne vole jamais une chaussette ou un gant orphelin, mais tout autre vêtement est une proie considérée comme légitime.*

22 JOUER AVEC LE CARTON D'EMBALLAGE DU GROS JOUET TRÈS CHER QU'ON T'A OFFERT

On peut se cacher dedans, l'escalader, gribouiller dessus, et se faire traîner dedans par un adulte dans toute la maison. En plus, c'est du meilleur effet décoratif dans n'importe quel salon. Tu peux par exemple le mettre juste devant la télé : magnifique, n'est-ce pas ?

Astuce : *plus tu auras envie de jouer avec le carton, plus ton papa essaiera de t'encourager à jouer avec le jouet qui était dedans. Il t'expliquera qu'il a coûté beaucoup d'argent et te proposera de jouer avec toi et avec ton nouveau jouet aussi longtemps que tu le veux, du moment que tu arrêtes de jouer avec le carton. Continue à jouer tranquillement avec le carton. Ton papa sera toujours à t'attendre quand tu arrêteras.*

Si tu n'as pas de carton, ou s'il a disparu et que ta maman te dit qu'elle ne sait pas où il est passé, tu vas devoir te consoler en jouant avec le téléphone portable ou les clés de ton papa à la place. Ils sont beaucoup plus intéressants que n'importe quel jouet.

Note : les parents dotés d'un minimum de bon sens n'achètent pas de jouets à un tout-petit. Ils savent qu'il suffit de lui donner les cartons vides de ce qu'ils achètent au supermarché.

23
FAIRE UNE MONTAGNE DE LESSIVE EN POUDRE

Sous l'évier, c'est une vraie caverne d'Ali Baba, mais le mieux de tout, c'est le baril de lessive. Il contient une poudre blanche d'une fluidité admirable, et avec laquelle on peut faire de superbes petites montagnes par terre dans la cuisine.

Soulève le baril le plus haut que tu peux, et regarde son contenu se déverser d'abord doucement, puis couler à flots en formant un beau tas. Aux yeux d'un amateur, ce que tu fais là revient à gâcher environ cinq euros de lessive en poudre, mais toi, tu sais bien que tu es en train de faire une expérience complexe de géométrie dans l'espace : par exemple, tu es en train de découvrir que chaque point d'un cône est relié à son sommet. Ou quelque chose comme ça.

S'il en reste un peu dans le baril après avoir fait ta montagne de lessive, essaie de le saupoudrer dans toute la cuisine, comme une légère couche de neige fraîche. C'est très agréable à faire. Puis pourquoi ne pas t'allonger sur le dos et agiter les bras et les jambes pour dessiner une magnifique trace de papillon sur le sol ? En voyant ça, ta maman ouvrira de grands yeux ébahis.

24 METTRE UN PEU D'AMBIANCE DANS UN MARIAGE PLAN-PLAN

L'idéal dans ce genre de situation, c'est d'aller jouer avec les graviers devant la porte de l'endroit où se déroule la cérémonie. Pour te déplacer de l'intérieur de la salle vers les graviers à l'extérieur, voici comment procéder :

La technique toute simple qui consiste à perdre ton jouet préféré est :

1. Commence par couiner légèrement pendant l'entrée de la mariée. (S'il s'agit d'une cérémonie civile, les deux futurs époux feront sans doute leur entrée en même temps – c'est donc à ce moment-là qu'il faut te mettre à couiner).

2. Au cours de la cérémonie, mets-toi à pleurer doucement. Un de tes parents te prendra dans ses bras pour essayer de te calmer.

3. Redouble de pleurs et essaie de te débattre. Regarde les visages courroucés des gens autour de toi tout en essuyant ton nez qui coule sur l'épaule de ton papa ou de ta maman.

4. Quand arrive le moment du consentement mutuel, abandonne toute retenue et crie « Non ! Non ! Non ! ». Un de tes parents te fera bien vite sortir – en général, ton papa, parce que c'est celui des deux qui a dépensé le moins d'argent pour se faire beau.

5. Une fois dehors, tu peux commencer à jouer avec les graviers.

À noter : les adultes croient que les graviers ne sont qu'un mélange de petits cailloux insignifiants. Mais toi, tu sais qu'il s'agit d'un trésor infini qui recèle une multitude de couleurs, de formes, de tailles et de textures. Il n'y en a pas deux pareils, et certains d'entre eux sont de véritables joyaux !

Voici maintenant ce que tu dois faire :

1. Prends quelques poignées de graviers et étale-les sur les marches.

2. Allonge-toi par terre et commence à les trier par petits tas : les plus petits, les plus brillants, etc. Surtout prends ton temps : un mariage, c'est interminablement long.

3. Choisis ton spécimen préféré. Lèche-le pour voir comment il est quand il est mouillé.

4. Lorsque les nouveaux mariés descendent les marches après la cérémonie, ramasse vite les graviers et fourre-les dans la poche de ton papa. Attention à son appareil photo !

5. Si tu es petit garçon ou petite fille d'honneur, on te demandera maintenant de venir poser sur la photo.

Ensuite, essaie de te reposer un peu les cordes vocales. Tu vas avoir besoin de toute ta voix plus tard dans la journée, au moment des discours.

25 JETER UN OBJET DE VALEUR DANS LES TOILETTES ET TIRER LA CHASSE D'EAU

Ce n'est pas parce que tu mets encore des couches que tu ne peux pas te servir toi aussi des toilettes à ta manière. La prochaine fois que ta maman aura le dos tourné quelques instants, pourquoi ne pas en profiter pour faire quelques expérimentations ? Tu te rendras compte que c'est le meilleur jouet du monde, surtout s'il y a un compteur d'eau chez toi.

Les deux intérêts principaux à jouer avec les toilettes sont les suivants :

1. Le gros « plouf » que fait un objet en tombant dans l'eau.
2. Le fait que cet objet disparaisse à jamais lorsqu'on appuie sur le bouton qui est tout en haut des toilettes. Vite, cours chercher un autre objet pour recommencer !

Les deux inconvénients principaux à jouer avec les toilettes sont les suivants :

1. La tête que fait ta maman au moment où elle découvre que tu as jeté sa bague de fiançailles dans les toilettes. Mieux vaut ne pas lui dire que tu as aussi tiré sur ta médaille de baptême et que tu l'avais mise avec.
2. La tête que fait ton papa au moment où il découvre que tu as envoyé son rasoir électrique dans les égouts. Dis-lui que ce n'est pas la peine de s'énerver comme ça : un plombier compétent arrivera très bien à le retrouver dans le tuyau en S en démontant tout simplement la cuvette.

C'est le moment ou jamais de bien en profiter, et de jouer avec les toilettes tant que tu peux. L'année prochaine, tu refuseras sans doute catégoriquement de t'en approcher.

TE FAIRE DES COIFFURES EXCENTRIQUES DANS LE BAIN

Fini la monotonie capillaire : la prochaine fois que tu dois te laver les cheveux, laisse libre cours à ton imagination pour te créer de superbes coiffures. Mouille-toi bien les cheveux, puis, à l'aide de ton papa ou de ta maman, réalise les œuvres d'art capillaires suivantes :

* « Le diablotin » : fais-toi une raie au milieu, puis remonte chaque moitié de tes cheveux en formant une petite corne sur ta tête. Prends soin d'en lisser le bout pour qu'il soit bien pointu.

* « La licorne » : ramène simplement tous tes cheveux vers l'avant de ta tête et forme une corne sur le haut de ton front.

* « L'iroquois » : lisse-toi les cheveux à la verticale pour te faire une crête de punk au milieu de la tête, du front jusqu'à la nuque.

* « Le Betty Boop » : colle-toi quelques mèches autour du visage en formant de jolies boucles.

* « Le premier de la classe » : fais-toi une raie basse sur le côté, mets la partie la plus petite derrière ton oreille et lisse le reste de tes cheveux à l'horizontal sur ton front, en aplatissant bien tout sur ta tête. (À noter : en mettant la mèche encore plus bas sur ton front, tu obtiendras un « look Hitler » des plus hilarants.)

27 FAIRE UN ŒIL AU BEURRE NOIR À TA MAMAN

Un jour ou l'autre, tu cogneras accidentellement ta maman avec un objet dur, et il en résultera ce qu'on appelle familièrement un « cocard ».

Les objets avec lesquels il y a la plus grande probabilité que tu la frappes sont les suivants :

- * la télécommande de la télévision ;
- * une petite voiture ;
- * ta tasse à bec – attention à ne pas en plus lui renverser du Tropicana sur son jean blanc tout neuf !
- * son téléphone portable.

Cet épisode est un assez mauvais moment à passer, et il y aura inévitablement des larmes. Il se peut aussi que ta maman se mette dans tous ses états. Mais ne t'en fais pas, elle arrêtera bien vite de crier « je suis aveugle, je suis aveugle ! » si tu réagis comme il se doit : hurle comme si un gitan était en train d'essayer de t'enlever !

Il est cependant possible que ta maman ait effectivement un petit peu mal, alors, pour te faire pardonner, pourquoi ne pas l'accompagner aux urgences ? Après trois heures d'attente, tu pourras te rendre utile en lui portant son sac pendant qu'elle montre ses bleus au docteur. Profites-en pour faire un peu de rangement dedans : elle va bien rigoler quand elle verra ses préservatifs, sa carte d'adhérent à Weight Watchers et son paquet de cigarettes soigneusement alignés aux pieds du docteur.

Astuce : *il n'est en fait pas indispensable de frapper ta maman pour lui faire un cocard. Avec un peu de chance, il te suffira d'un bon petit coup sec sur l'arrête du nez avec une grosse brique de Lego et tu obtiendras deux yeux au beurre noir. Admirable d'efficacité.*

28 GLISSER À MOITIÉ D'UNE CHAISE HAUTE

Les scientifiques disent qu'un nouveau-né peut **rester accroché à une falaise par la seule force de ses doigts** pendant les dix heures qui suivent sa naissance. Il y a peu de chances que tes parents aient testé cette théorie, mais ils se demanderont toujours si c'est vraiment possible. Alors, même si tu as déjà un an maintenant, il n'est pas trop tard pour leur démontrer ta poigne de fer la prochaine fois que ton papa oubliera de t'attacher dans ta chaise haute.

Peut-être que ton papa a un peu fait les choses à la va-vite, à moins qu'il pense que tu es assez rondouillet pour être bien calé dans ta chaise. Quoi qu'il en soit, ne lui fais pas remarquer son erreur. Reste sagement assis comme si de rien n'était jusqu'au moment où quelqu'un sonne à la porte, ou que ton papa te laisse pour aller aux toilettes – et là, à toi de jouer !

1. Remue dans ta chaise de façon à faire glisser tes fesses vers le bord de l'assise (la banane écrasée que tu as recrachée tout à l'heure devrait servir de lubrifiant) – et hop, ça y est !

2. Raccroche-toi de justesse aux accoudoirs de la chaise pour ne pas tomber – tu dois avoir les jambes qui pendent dans le vide et le visage écrasé contre le dessous de la tablette.

3. Crie aussi fort que tu le peux. Même si le son de ta voix sera un peu étouffé, ça contribuera à l'impression de danger.

4. Ton papa arrivera en trombe dans la pièce. Il marquera une courte pause pour admirer ton incroyable force d'agrippement.

5. Ton papa viendra à ton secours et te donnera de la glace comme dessert.

29 TE MOQUER D'UN ADULTE EN LE VOYANT NU

Une fois déshabillés, les adultes sont vraiment désopilants à voir. Mais en voyant ta maman sortir du bain, ou ton papa en train d'enfiler son caleçon, ne sors pas tout de suite de la salle de bains en riant aux éclats : marque d'abord une pause pour bien les regarder, puis ensuite sors de la salle de bains en riant aux éclats.

Astuce : *pourquoi ne pas évoquer les gros seins de ta maman ou les varices de ton papa la prochaine fois qu'un de leurs amis leur rend visite ? Des amis comme le facteur par exemple, ou le monsieur qui vient relever le compteur de gaz.*

30

PERDRE TON BIEN LE PLUS CHER DANS UNE PISCINE DE BALLES

Les adultes adorent aller dans des aires de jeux, parce qu'ils peuvent y boire un café tranquillement en lisant *Entrevue*, rassurés à l'idée que pendant ce temps, tu « t'amuses ». J'aimerais bien savoir ce qu'ils en penseraient si on les mettait dans un grand bassin rempli de balles en plastique jusqu'à l'épaule avec des gens de deux fois leur taille qui déboulent en trombe.

La technique toute simple qui consiste à perdre ton jouet préféré est donc infaillible pour les tirer de leur léthargie.

Astuce : *idéalement, il faut que cet objet soit très petit, et qu'il te soit indispensable pour aller te coucher le soir. Pourquoi pas Souricette ?*

Voici comment faire :

1. Emmène Souricette dans la piscine de balles avec toi, en promettant mordicus que tu ne la perdras pas.

2. Tourne en rond pendant une dizaine de minutes, puis pose Souricette là où ça te chante. Éloigne-toi d'elle, en veillant à bien explorer tous les coins de la piscine de balles.

3. Attend que tout le monde ait mis son manteau, puis annonce que tu as perdu Souricette dans la piscine de balles. Dis-leur que tu n'as aucune idée de l'endroit où tu l'as posée. Commence à pleurer, en disant que tu n'arriveras jamais à t'endormir ce soir.

4. Installe-toi dans un coin et regarde tes parents grimper dans la piscine de balles et commencer à fouiller – tu marques des points bonus s'ils doivent passer dans des tunnels en plexiglas à trois mètres du sol.

5. En moyenne, il faudra trois heures à ton papa ou ta maman pour localiser Souricette. Généralement, elle est tout au fond de la piscine de balles, dans un coin, là où quelqu'un a fait pipi

FAIRE SE DEMANDER À TES PARENTS SI TU N'AS PAS ÉTÉ ÉCHANGÉ À LA NAISSANCE

Il est toujours très amusant de semer le doute... Aurais-tu été échangé à la naissance avec le bébé de la dame bizarre qui était dans la même chambre que ta maman à la clinique ?

Ce ne sont pas les choses positives qui inquiéteront ton papa et ta maman. Une soudaine habileté à dessiner, une facilité dans une langue étrangère ou un talent prodigieux pour la musique seront tous accueillis avec bonheur comme des dons que tu as hérité d'eux – tout comme tes petites fossettes si craquantes et tes grands yeux bleus. Ce sont plutôt les choses étranges qui leur feront se poser des questions. Essaie par exemple de cligner bizarrement des yeux pendant un jour ou deux, de faire un drôle de bruit rauque en buvant ton lait, ou de te choisir un tic passager. C'est exactement le genre de chose qui les fera se mettre à cogiter.

Mamie sera la première à dire : « On n'a jamais eu ce genre de chose dans la famille. Ça doit venir de l'autre côté ». Puis ce sera au tour de Grand-Maman de dire : « On n'a jamais eu ce genre de chose dans la famille. Ça doit venir de l'autre côté ». Ton papa et ta maman commenceront à avoir l'air inquiet. Tu entendras ta maman avouer qu'elle s'est endormie à la clinique quelques instants après ta naissance (mais vraiment pas longtemps), et ton papa se mettra à faire les cent pas d'un air soucieux en parlant d'un truc appelé « ADN ».

C'est le moment d'arriver dans la pièce en courant avec ta couche sur la tête. Tu verras un grand sourire se dessiner sur le visage de ton père, et tu entendras Mamie dire d'une voix soulagée : « Regardez-moi celui-là, c'est son père tout craché ! »

32 UTILISER LA NOURRITURE COMME ACCESSOIRE DE MODE

Les framboises ont été ingénieusement conçues pour s'ajuster parfaitement sur le bout de tes doigts. Et elles ont en plus l'avantage d'y laisser une jolie couleur rouge qui ressemble à du vernis à ongles. Le truc rouge qui coule (appelé « jus ») est un outil de coloriage idéal, d'autant que, à l'inverse des feutres que ta maman t'a offerts, il est assez difficile à effacer. Il n'y a rien de plus génial pour créer des motifs recherchés sur les murs, les nappes, et la chemise préférée de ton papa.

Si tu aimes te déguiser avec ton goûter, voici quelques autres idées :

* Te faire de magnifiques boucles d'oreilles avec les cerises lorsqu'elles sont deux par deux : il suffit de te les glisser par-dessus l'oreille, et le tour est joué ! Mets une seule boucle d'oreille pour obtenir un effet « pirate », et deux si tu veux être une princesse.

* Les fraises écrasées sur les lèvres font un rouge à lèvres de toute beauté.

* Étale-toi du ketchup sur le visage pour faire semblant que tu t'es blessé. Pour obtenir un maximum d'effet, allonge-toi en bas des escaliers et mets-toi à hurler.

* Avec des Weetabix bien pâteux, tu peux te fabriquer une perruque, et la garder sur la tête le temps que ça sèche.

* Couvre-toi de farine de la tête aux pieds et tu obtiendras un effet « fantôme » très réussi !

33 PIQUER DANS UN MAGASIN

C'est bien triste à dire, mais la plupart des enfants de ton âge finissent un jour ou l'autre par voler. Pas juste des petits jouets qu'ils emportent en partant de chez les gens, mais aussi des choses dans les magasins. C'est ce qu'on appelle du vol à l'étalage.

Voici la liste des trois objets les plus volés par les enfants de moins de trois ans :

* Des bonbons dans les présentoirs des boulangeries.

* Des barres chocolatées présentées devant la caisse au supermarché – ils sont pile à hauteur de poussette, donc ta maman ne te verra pas te servir.

* Les petits cadeaux offerts gratuitement (ce que tu prends très au pied de la lettre) devant les magazines à la maison de la presse.

Quand elle se rendra compte de ton larcin, ta maman te ramènera au magasin, où elle s'excusera auprès du commerçant et proposera de payer le paquet de fraises tagada que tu as pris. Sur le chemin du retour, elle essaiera de t'expliquer que même si tu es trop jeune pour savoir ce qui est bien et ce qui est mal, il faut que tu arrêtes de voler, sinon la prochaine fois, peut-être qu'on appellera la police. C'est le moment idéal pour lui demander pourquoi ton papa rentre toujours du bureau le soir avec des rouleaux de scotch et des blocs de post-it par dizaines dans sa sacoche – et ça, ce ne serait pas aussi du vol ? Là, ta maman deviendra un peu rouge et elle t'achètera tout ce que tu veux sans broncher.

34 DISPARAÎTRE DANS LA NATURE

Chaque enfant a besoin d'un endroit bien à lui. Un petit refuge où il peut se couper du monde et décompresser un peu.

La bonne nouvelle, c'est que dans une maison, il y a une multitude d'endroits qui peuvent servir de cachette : derrière les rideaux du salon, dans une penderie ou dans l'interstice entre la cabane du jardin et la clôture des voisins. Mais surtout, il faut qu'il reste secret !

La prochaine fois que ta maman te quitte des yeux – par exemple quand elle sort en douce fumer une cigarette, ou qu'elle est plongée dans le dernier numéro de *Vogue* – va te cacher dans ton petit nid, et installe-toi bien confortablement. Emmène avec toi tes doudous préférés et quelques friandises à grignoter. D'ailleurs, et si tu en profitais pour faire une petite sieste ?

C'est vraiment très rigolo de ne faire aucun bruit quand tu sais que ta maman te cherche... ce jeu s'appelle « cache-cache ». Tu l'entendras ouvrir la porte de la maison pour regarder dehors, puis courir de pièce en pièce dans toute la maison, avant de retourner ouvrir la porte d'entrée. Elle t'appellera en criant ton prénom partout, avec une drôle de voix. Peut-être se dira-t-elle tout bas des choses comme :

* « Comment ai-je pu penser que les soldes en ligne de La Redoute étaient plus importantes que de m'occuper de mon fils ? »

* « Je suis une mère épouvantable. »

* « Je promets de ne plus jamais la gronder, même quand elle boit dans la cuvette des toilettes, tant qu'il ne lui arrive rien. »

Attends de l'entendre décrocher le téléphone pour appeler la police, puis réapparais soudainement. Regarde la tête que fait ta maman ! Elle va te serrer fort dans ses bras, t'embrasser partout, et après seulement elle va te gronder. Puis se remettre à t'embrasser. Mais ne t'en fais pas... elle s'en remettra.

35 ÊTRE UN VRAI POT DE COLLE

La meilleure façon de prouver à ta maman combien tu l'aimes est de ne pas la lâcher d'une semelle. En suivant ces conseils, tu la rassureras complètement sur le fait que jamais, jamais tu ne t'éloigneras d'elle :

* Installe-toi bien serré contre elle. Glisse-toi sur la toute petite place qui reste à côté d'elle sur sa chaise, et propose-lui de tourner les pages de son magazine à sa place. Si elle est assise dans un canapé, grimpe sur le dossier derrière elle, et entoure-lui bien fermement le cou avec tes bras, et la taille avec tes jambes.

* Fais-la entrer dans tes jeux. Fais rouler une petite voiture sur son bras, ou fais faire du trampoline sur ses genoux à ta poupée, qui pourra ainsi lui faire un bisou à chaque bond pendant qu'elle regarde la télé.

* Suis-la partout comme un petit chien, comme ça, dès qu'elle se retournera, elle trébuchera sur toi.

* Joue à être son ombre en marchant sur l'arrière de ses chaussons, ou en t'accrochant à ses jambes, de manière qu'elle doive traverser la maison pour vaquer à ses occupations en traînant les pieds.

* Sois d'une fidélité irréprochable envers ta maman. Refuse tout dialogue ou contact avec qui que ce soit d'autre – que ce soient des membres de ta famille ou des étrangers. Reste sur ses genoux dès qu'il y a des gens autour de vous, y compris à la crèche ou à la garderie.

* Donne-lui l'occasion de se faire les muscles en l'obligeant à te porter où qu'elle aille.

* Ne la laisse jamais seule. Accompagne-la partout, y compris aux toilettes.

36 FAIRE « À DADA » SUR TOUT CE QUI BOUGE

Tu as déjà pu sillonner les rayons du supermarché perché dans le siège du caddie, te faire pousser dans la brouette du jardin de long en large, mais il n'y a aucune raison que ça s'arrête là : tout ce qui a des roues ou des poignées, et qui peut être tiré par terre peut servir à faire un petit tour de manège gratuit. Il suffit d'avoir l'œil avisé et un peu d'imagination pour voir ce qui est possible.

Imagine une journée comme les autres à la maison. Peut-être ta maman est-elle en train de passer l'aspirateur : et si tu grimpais dessus pour faire un petit tour ? Peut-être est-elle en train d'étendre du linge dehors : ça veut dire qu'elle va rentrer avec une bassine vide, dans laquelle tu pourrais grimper ! Peut-être est-elle en train de sortir les poubelles : pourquoi ne pas t'installer dessus pendant qu'elle les fait rouler ? Mais ce n'est qu'un début.

Mets-toi à cheval sur une valise à l'aéroport, hisse-toi dans le grand sac de plage, ou saute dans le caddie à roulettes de Mamie. Monte sur le tapis roulant au supermarché, grimpe sur le balai que ta maman est en train de passer, ou mets-toi dans un carton et fais comprendre que tu veux qu'on te pousse dans toute la maison.

37 ENFERMER TA MAMAN À L'EXTÉRIEUR DE LA MAISON

Tu crois connaître ta maman – mais en es-tu bien sûr? Pour savoir qui elle est vraiment, le meilleur test est de vérifier comment elle réagit en situation de crise. Que dirais-tu alors de l'enfermer à l'extérieur en claquant la porte de la maison la prochaine fois qu'elle est en train de rentrer les courses?

Astuce : *dès que tu l'as enfermée dehors, commence à pleurer à gros sanglots pour faire grimper son niveau de stress.*

Maintenant, observe bien ce qui se passe. La façon dont ta maman va réagir en dira beaucoup sur son type de personnalité, et te donnera peut-être quelques indices de ce que tu deviendras toi-même. Si ta maman :

* Prend un long bout de bois et, en le passant par la boîte aux lettres, essaie d'attraper le trousseau de clés accroché dans l'entrée pour qu'il soit hors de ta portée : ta maman est un STRATÈGE. Elle se sert d'un raisonnement rationnel pour résoudre un problème.

* Brise un carreau et s'introduit dans la maison en mettant des bouts de verre partout : ta maman est une FONCEUSE. Elle va aller droit au but et chargera quelqu'un d'autre de réparer les dégâts.

* Se rend calmement au fond du jardin pour aller chercher le trousseau de clés qu'elle a caché sous un pot de fleurs : ta maman est RÉALISTE. Elle savait que ça arriverait un jour. (Le pot de fleurs est sans doute plus répandu que le clapier en France…)

* S'assoit sur le pas de la porte et attend patiemment l'arrivée de ton papa, en te disant qu'il rentrera bientôt à la maison : ta maman est IDÉALISTE. Bien sûr que non, papa ne va pas bientôt rentrer à la maison : il a oublié de lui dire que ce soir, il devait prendre un pot avec ses collègues en sortant du bureau.

38 RÉPONDRE AU TÉLÉPHONE

Sur ce coup-là, tout le monde est gagnant. Tu adores répondre au téléphone, et la personne qui est à l'autre bout de la ligne adore t'entendre répondre. Mais assure-toi tout de même que tu sais le faire en respectant les règles élémentaires de courtoisie téléphonique.

Lorsque le téléphone sonne, voici comment faire :

1. Arrive le premier près du téléphone, décroche et dis : « Allô ? »

2. Dis : « Allô ? » encore une fois.

3. La personne qui est à l'autre bout de la ligne demandera à parler à ta maman ou à ton papa. La petite intonation crispée est le signe que l'adulte « essaie d'être patient ».

4. Re-dis « Allô ? » une fois de plus.

5. Commence à dire des choses au hasard, comme par exemple : « j'ai fait dans le pot », « Doudou est parti », ou « Ah lalalé ! »

Maintenant, tu as deux solutions : soit laisser le téléphone décroché et partir faire autre chose sans prévenir personne de l'appel, soit raccrocher soigneusement.

Ne t'en fais pas. Il sonnera encore très bientôt, et tu pourras encore aller répondre.

39

SORTIR DE TON LIT ALORS QUE TU ES EN GIGOTEUSE

Imagine la scène : ta maman est avachie dans le canapé, un verre de vin à la main, en train de regarder une émission sur la vie à la campagne, l'esprit tranquille à l'idée que tu es prisonnier... euh, pardon, bien au chaud dans ton lit. Il faut voir sa tête au moment où tu apparais, l'air triomphant, à la porte du salon !

Note : ta maman prétend que la turbulette sert à s'assurer que tu resteras bien couvert toute la nuit, mais en vérité, la seule chose qui lui importe, c'est que tu ne sortes pas de ton lit. Tout parent qui dit le contraire est un menteur.

Si tu ne t'attaques pas dès à présent à ce problème de turbulette, tu risques de passer encore beaucoup de nuits tout seul dans ton lit avec Lapinou pour toute compagnie.

Les turbulettes à boutons à pression ou à bandes velcro sont assez faciles à retirer. Si tu as un peu moins de chance, la tienne se fermera avec une fermeture Éclair. Prends ton temps pour l'ouvrir – c'est vraiment un jeu de patience, qui nécessite beaucoup de minutie.

Si tu t'es déjà fait une réputation d'escaladeur, il y a de bonnes chances que ta maman t'ait mis dans une turbulette « à fermeture inversée », ce qui veut dire que la glissière est à l'intérieur. Si c'est le cas, tu es coincé, et tu vas donc devoir apprendre à marcher avec (ce qui aura au moins l'avantage de te servir le jour où tu feras ta première course en sac à la fête de l'école).

Hausse-toi sur le bord de ton lit et laisse-toi tomber de l'autre côté. Ensuite, dirige-toi sans faire de bruit vers le salon – soit en rampant par terre si tu es toujours dans ta turbulette, soit en la traînant derrière toi comme une cape de super-héros. Arrête-toi un instant pour profiter de cette rare occasion d'observer ta maman en plein moment de détente, avant qu'elle ne s'aperçoive de ta présence. N'est-ce pas qu'elle a l'air sage comme ça ?

40 DÉCAPITER LES FLEURS DANS LE JARDIN DE MAMIE

Si Mamie n'a pas beaucoup de jouets avec lesquels t'occuper chez elle, il va tout simplement falloir que tu trouves autre chose à faire – la « décapitation » de fleurs est à cet égard une occupation toute trouvée. Remplis-toi les poches avec les plus épanouies et les plus grosses des fleurs uniquement, sans t'encombrer des petits bouts déjà fanés.

Tu peux également :

* Croquer dans chaque pomme de sa corbeille de fruits, en prenant bien soin de les reposer avec ta trace de dents vers le bas.

* Faire de jolies empreintes de doigt avec ton pouce dans les feuilles de la plante grasse à laquelle elle tient tant. Au début, elles seront très discrètes, mais se feront de plus en plus visibles avec le temps, à mesure que les feuilles commenceront à pourrir.

* Renouveler un peu la disposition des magnets du frigo qu'elle a ramenés de tous les voyages qu'elle a faits depuis 30 ans. Fais glisser les plus beaux dans le petit interstice poussiéreux de 5 mm entre le frigo et le placard.

* T'installer dans un coin avec le sucrier et manger son contenu.

Tu passeras un moment très distrayant pendant que Mamie échange des nouvelles de toute la famille avec ton papa et ta maman. Et n'aies aucune inquiétude : elle ne découvrira ce que tu as fait qu'après ton départ.

DE 2 À 3 ANS

L'ÂGE DU « MOI, MOI, MOI »

Tu as peut-être déjà entendu dire que deux ans, c'est « l'âge terrible ». Malheureusement, c'est vrai : ton papa comme ta maman risquent d'être terribles avec toi cette année. C'est regrettable, mais ils ne vont pas te lâcher, à vouloir t'apprendre la politesse à longueur de temps. Le mieux est de les ignorer, parce qu'il ne faudrait pas que tes parents te gâchent cet âge béni du « moi, moi, moi ». Mais si rien n'y fait et que ta maman continue à te demander : « c'est quoi, le mot magique ? », réponds-lui que c'est « abracadabra ».

Cette année, c'est vraiment le moment de faire toutes les expériences possibles et de vivre à 100 à l'heure. Tu peux tenter de faire du toboggan la tête la première sur la rampe d'escalier avec un seau sur la tête, ou de rentrer dans la cage du hamster. Ce qui compte, ce n'est pas ce que tu fais, c'est que tu le fasses seul, sans l'aide de personne. Ne te soucie pas de savoir combien de temps ça va te prendre de mettre tes chaussures, ou à quel pied tu les mets : si ta maman est en retard au bureau, elle est en retard au bureau. C'est aussi simple que ça.

L'essentiel, c'est de les tenir en haleine. Sois super-collant avec ta maman, puis, à la minute suivante, repousse-la. Traîne des pieds pour aller jusqu'à la boîte aux lettres au coin de la rue, puis pique un sprint soudain quand ton papa te laisse descendre pour la première fois de ta poussette au supermarché.

À vrai dire, cette année, tu peux bien faire tout ce que tu veux et être grossier avec qui tu veux, cela n'a absolument aucune importance parce que, comme les fêtards qui se réveillent les lendemains de beuverie avec un cône de signalisation sur la tête, tu ne te souviendras de rien. Alors profites-en tant que tu peux !

41 PASSER LE TEMPS AGRÉABLEMENT QUAND TU ES AU COIN

Définition de « coin »: nom masculin, endroit isolé et sans distraction où le jeune enfant est envoyé quand il n'a pas été sage. Le « coin » classique est la première marche de l'escalier d'une maison, où un adulte peut exercer la discipline tout en continuant à préparer le dîner. Cependant, de nombreux autres endroits peuvent faire l'affaire : par exemple, le trottoir devant un café, ou le muret devant un magasin.

Si tu as la malchance d'avoir été banni au coin par un adulte fâché, le temps risque d'être vraiment long, donc il est essentiel de trouver quelque chose d'intéressant à faire. Voici quelques trucs de survie bien utiles :

* Les enfants malins ont toujours un jouet planqué dans leur poche ou dans leur manche. Glisse une mini-poupée ou une petite voiture dans tes vêtements et aies-la toujours sur toi, pour pouvoir jouer avec secrètement pendant que tu es mis à pied. Essaie de te procurer des chaussures qui ont une cachette dans le talon comme celles des agents secrets : il suffit de retirer la chaussure et de soulever la semelle intérieure pour y avoir accès. Il y a même peut-être assez de place pour y cacher aussi quelque chose à manger.

* Si tu n'as pas la chance d'avoir un petit trésor sur toi pour t'occuper, essaie de faire avec les moyens du bord : cure-toi le nez, ou passe ton ongle sur le bord d'un lai de papier peint jusqu'à ce qu'il commence à se décoller du mur. Compte le nombre de petits bouts que tu arrives à arracher avant d'entendre l'adulte revenir te voir.

* Exerce-toi un peu les cordes vocales en chantant une chanson. Choisis de préférence une complainte ou une chanson très triste de façon à faire augmenter au maximum la culpabilité de l'adulte. À défaut, si tu n'en trouves pas, choisis-en une extrêmement répétitive.

42 T'ENFONCER UN OBJET DANS LE NEZ

Tes narines, c'est comme le sac de Merlin l'enchanteur : il y a beaucoup plus de place dedans que ce qu'on pourrait imaginer de l'extérieur. Alors si tu essayais de voir quels sont les objets que tu arrives à y mettre ? Tout le monde l'a fait un jour, au moins une fois.

Voici le best of des choses à t'enfoncer dans le nez :

1. Un petit pois.
2. Une cacahuète.
3. Une chaussure de Polly Pocket.
4. Une bille.
5. La petite pièce indispensable au mécanisme de la montre de ton papa, qu'il avait posée sur le rebord de la cheminée pendant qu'il la réparait.
6. Un jeton du Monopoly de luxe (probablement le chien).
7. Le bout d'un stick Labello.
8. Un bouton.
9. Une perle.
10. Une olive (farcie).

Et voici les cinq meilleures manières de faire sortir un objet de ton nez :

1. Souffler dans un mouchoir.
2. Le faire aspirer avec la bouche par ta maman.
3. Allez chez le docteur.
4. L'attirer avec un très gros aimant (ne marche que si c'est un écrou ou un trombone que tu t'es enfoncé dans le nez).
5. La chirurgie invasive (parfois accompagnée de glace au chocolat).

43 BOUSILLER LE LECTEUR DVD

La prochaine fois que ton papa retire son disque de *24 heures* du lecteur DVD, regarde bien quel est le bouton qui sert à faire rentrer et sortir le petit plateau. Une fois ton papa sorti de la pièce, prends le temps de te familiariser avec la manipulation, en appuyant dessus plein de fois de suite. En tirant assez fort sur le plateau, tu peux arriver à l'arracher du premier coup. Sinon, pourquoi n'essaierais-tu pas de voir ce que tu arrives à poser dessus et à faire avaler à la machine ? C'est plus difficile que ça n'y paraît, parce que la fente d'un lecteur DVD, c'est vraiment très étroit, la tâche est donc beaucoup plus délicate pour les enfants d'aujourd'hui qu'elle ne l'était pour ceux de la génération précédente, qui avaient affaire à des magnétoscopes où l'on pouvait fourrer plein de choses aussi facilement que dans une boîte aux lettres.

Astuce : *une galette de riz soufflé rentre parfaitement. Mâchouilles-en un peu les bords avant de la mettre sur le plateau, de façon à être sûr qu'elle reste collée dedans.*

Un bracelet, des fleurs, et la petite éponge ronde du poudrier de ta maman sont également des tentatives très valables. On peut aussi obtenir des résultats très satisfaisants avec de simples morceaux de sandwich au jambon coupés tout petits. Il se peut cependant qu'il faille les écraser un peu pour les faire rentrer.

Conseil de pro : il est recommandé de partir discrètement dans la direction opposée lorsque ton papa demande d'un ton accusateur : « Tu n'aurais pas encore trifouillé cette machine, toi ? »

RÉCOLTER DES MÉDAILLES ET DES CERTIFICATS

Il a fallu environ dix ans de carrière à l'escrimeuse Laura Flessel pour décrocher ses cinq médailles olympiques, et en cinquante ans, Georges Charpak n'a obtenu qu'une maigre dizaine de distinctions honorifiques. Mais de nos jours, n'importe quel bambin qui se respecte cumule en une année de maternelle autant de prix et de médailles qu'eux. Cela s'explique par le fait qu'à peu près tout ce que font les enfants de ton âge est susceptible de rapporter une récompense. Si tu as par exemple :

* Fait un joli coloriage à la garderie : un certificat.
* Passé une journée dans un parc à thème : une médaille.
* Participé à une activité pédagogique : un diplôme.
* Joué le rôle du berger dans une crèche de Noël : une médaille.
* Acheté une nouvelle paire de chaussures : un diplôme.
* Été sage chez le dentiste : une médaille.
* Fait gagner 73 centimes à ta garderie en participant à une marche sponsorisée : un certificat.

Les médailles sont légèrement plus prisées, parce qu'en rentrant à la maison, on peut les mettre autour du cou d'un nounours. En plus, elles sont sûrement en vrai or, ce qui fait que tu pourras t'acheter une maison avec quand tu seras plus grand.

Les parents d'autres enfants sont toujours les premiers à te féliciter chaleureusement de la dernière médaille que tu as reçue – sauf si tu gagnes un tournoi de Mastermind Junior ou que tu entres au conservatoire de Piano. Là, ils se la fermeront un peu plus.

45 FABRIQUER UNE POTION MAGIQUE

Si tu as un après-midi entier à occuper, mets-le à profit pour fabriquer une potion magique. Avec les bons ingrédients, soigneusement mélangés comme il faut, peut-être que cette potion aura le pouvoir de te rendre invisible !

Il te faut un grand récipient, comme un seau, une bassine à vaisselle, ou une des chaussures de ton papa. Voilà comment faire :

1. Verse de la boue ou du sable dans ton récipient. Mélange bien avec un bâton tout en ajoutant du liquide – l'eau d'une flaque est idéale.

2. Maintenant, ajoute tous les ingrédients qui te tombent sous la main : feuilles ramollies, aiguilles de pin, fleurs décapitées, ou petits graviers font tous parfaitement l'affaire.

3. Agrémente-la d'un jet de crème solaire, de colorant alimentaire ou de Chanel n° 5 de ta maman.

4. Remue bien le tout, puis traîne le récipient pour le mettre au soleil afin que la mixture puisse macérer doucement. Mais fais attention à ne pas la renverser !

5. Il faut maintenant laisser ta potion reposer environ deux heures pour qu'elle soit prête, alors rentre regarder la télévision pendant ce temps.

6. Oublies-en l'existence pendant un mois ou deux.

7. Ta maman finira par trouver ta potion, et au moment où elle s'apprêtera à la vider dans une bouche d'égout ou dans une plate-bande, fais-lui une scène pas possible, en lui disant que « tu allais justement jouer avec ».

8. Sors quelques-unes de tes peluches pour leur faire faire un « pique-nique de potion ». Assieds-les autour du récipient, en faisant attention à ce qu'elles se tiennent bien droites, sans quoi elles vont piquer du nez et se retrouver la tête la première dans la potion.

À noter : entretenue avec soin, une potion peut durer plusieurs années.

4.6 PRÉFÉRER LES LAPINS AU ZOO

Ton papa et ta maman adorent te faire découvrir la nature. Et rien ne les amuse plus, quand ils ont dépensé 40 € en tickets d'entrée au zoo, que de savoir que ce que tu as préféré, c'est un animal que tu pourrais voir chez Jardiland.

Donc, quand ils te demandent : « Quel est l'animal que tu as préféré ? », réponds simplement : « Les lapins ».

À ce moment-là, tu seras soumis à l'interrogatoire animalier suivant :

Eux : Mais tu n'as pas aimé les guépards ? Ils peuvent courir à 110 km/h, tu sais.

Toi : Les lapins.

Eux : Et les éléphants ? Ils pèsent plus de 8 tonnes !

Toi : Les lapins.

Eux : Tu as dû bien aimer les girafes, c'est obligé. Tu te rends compte qu'elles mesurent jusqu'à 6 mètres ?

Toi : Les lapins.

L'avantage de cette approche, c'est qu'ils t'emmèneront d'autant plus souvent au zoo à l'avenir : papa et maman détestent ne pas avoir le dernier mot.

LIBÉRER UNE RANGÉE DE SIÈGES ENTIÈRE DANS UN AVION

Il ne faudrait pas que ta maman soit obligée de payer des billets en première classe pour avoir toute la place qu'il te faut : elle a besoin de cet argent-là pour acheter des coloriages et des autocollants. Donc, si tu ne veux pas passer plusieurs heures serré comme une sardine, il va falloir vous fassiez équipe.

Choisissez une compagnie aérienne qui a mis au rancart les sièges numérotés, ce qui veut dire que les passagers s'installent selon le principe du « premier arrivé, premier assis ». Il faut donc que vous soyez les premiers à monter dans l'avion. (Cela dit, la plupart des compagnies font passer "les femmes et les enfants d'abord ! »; observe alors comme ta maman arrive à pousser ta poussette à toute vitesse pour aller se mettre à l'avant de la queue ! Et accroche-toi bien, pas le temps de s'embarrasser à fermer des boucles de sécurité et des harnais.)

Une fois à bord, choisissez une rangée de sièges vides et commencez à vous installer. Le truc consiste à empêcher qui que ce soit de s'asseoir avec vous. Vous n'avez pas le droit de dire : « Va-t'en, tu sens pas bon » à ceux qui essaieraient, alors il va falloir être un peu plus fin que ça :

* Joue le jeu quand ta maman dit des choses comme : « Oh, mon poussin, j'espère que tu ne seras pas malade cette fois-ci », même si tu te sens très bien. Quelle maligne, cette maman.
* Mets-toi à pleurer frénétiquement.
* Si tu as déjà pleuré tout ce que tu pouvais sur le trajet entre la maison et l'aéroport, essaie de chanter une chanson. En boucle, inlassablement.
* Assieds-toi et commence à donner des coups de pied dans les sièges devant toi. Comme ça vous aurez deux rangées à vous tous seuls.

Une fois les portes de l'avion fermées, détendez-vous et passez un agréable voyage !

DE 2 À 3 ANS

48 AVOIR DES LUBIES ALIMENTAIRES

Tout le monde sait que les choses comme les bonbons et les biscuits sont les meilleurs aliments qui soient. Veille à ce qu'ils constituent la base de ton alimentation en te choisissant quelques lubies alimentaires.

À noter : les lubies alimentaires ont en outre l'avantage de permettre de se faire remarquer un maximum. Est-ce que les gens aiment Madonna parce que c'est une grande chanteuse ? Non, c'est parce qu'elle a des lubies alimentaires.

La seule règle à appliquer…

C'EST DE CHANGER DE RÈGLE TOUS LES JOURS !

Il ne faudrait pas que ta maman arrive à te percer à jour et devine ce que tu vas vraiment manger en fin de compte, pas vrai ?

Commence par refuser de manger tout ce qui a nécessité l'utilisation de plusieurs casseroles, ou que ta maman a mis plus de vingt minutes à préparer, ou dans lequel différents types d'aliments sont en contact les uns avec les autres (par exemple, un plat dans lequel des petits pois touchent des pommes de terre doit être immédiatement balancé par terre).

Maintenant que tu as réduit son champ d'action, refuse de manger quoi que ce soit de vert, ou dans lequel il y a des morceaux. Méfie-toi aussi de tout ce qui est pâteux : il existe toujours un risque que ça contienne des légumes en purée. Tu peux aussi choisir de te limiter à deux aliments précis. Par exemple, du pain de mie et des carottes. Mais insiste pour que le pain de mie soit légèrement toasté et présenté en lamelles d'un centimètre de largeur. Les carottes ne doivent t'être proposées que crues et en rondelles – rejette toute carotte présentée sous forme de bâtonnets. Un jour, refuse de manger ces choses-là aussi.

Tiens-y-toi, même si c'est difficile. Si tu arrives à faire de tes repas une guerre permanente, cela veut dire qu'un jour, ta maman sera bien contente que tu manges un sandwich à la confiture et un mars comme dîner : au moins, dans la confiture, il y a des fruits.

RÉALISER UNE PROUESSE DEVANT TON PAPA (MAIS UNE SEULE FOIS)

La prochaine fois que tu te retrouves seul avec ton papa, impressionne-le en faisant quelque chose d'extraordinaire pour ton âge. Tu peux par exemple compter jusqu'à dix en allemand, faire une brillante imitation d'Homer Simpson, ou trouver tout seul la mélodie de « Nestlé, c'est fort en chocolat » au piano.

Avant que tu aies eu le temps de dire ouf, il appellera ta maman, te plantera devant elle et te demandera de recommencer. À ce moment-là, tu le regarderas d'un air hagard, en ayant l'air de ne pas du tout savoir de quoi il parle.

Il te redemandera de le faire, et te le re-re-redemandera. Il finira par te supplier. Vingt minutes plus tard, quand tu retourneras tranquillement jouer aux Lego, tu l'entendras dire des choses comme « mais je te jure, il arrive à faire le rubik's cube ! », ou « Je te promets, Caro, elle savait que c'était une fauvette à tête noire ! »

En sortant de la pièce, regarde bien la tête que fait ta maman. Elle croira qu'il est devenu fou.

50

FAIRE PLANTER L'ORDINATEUR DE TON PAPA

Quand tu vois ton papa travailler sur son ordinateur, ça te rappelle que tu voulais justement faires des jeux sur le site de Dora l'exploratrice. Voici comment faire pour qu'il lâche son ordinateur, et que tu puisses l'utiliser à sa place :

1. Va voir ton papa et demande-lui ce qu'il fait. Il te répondra qu'il travaille.

2. Demande-lui si tu peux regarder. Il te répondra : « d'accord, mais seulement si tu es sage » parce qu'il doit terminer son rapport pour demain, sans quoi il perdra son travail.

3. Demande-lui si tu peux monter sur ses genoux. Il sera d'accord, si tu promets de ne pas toucher au clavier.

4. Regarde ton papa taper au clavier. Tu as vu comme ses doigts vont vite ? Il se mettra à rigoler en disant qu'il aimerait bien pouvoir travailler à la maison tous les jours.

5. Demande-lui si tu peux aller sur le site de Dora l'exploratrice. Ton papa te répondra que tu pourras bientôt, quand il aura fini. Il te redira de ne pas toucher le clavier.

6. Touche le clavier.

7. Regarde l'écran de l'ordinateur devenir tout bleu. Ton papa te demandera de descendre de ses genoux, en expliquant que maintenant, il a tout perdu.

8. Demande si tu peux jouer à tes jeux sur l'ordinateur.

9. Regarde ton papa se balancer d'avant en arrière avec la tête entre les mains.

10. Va regarder la télé pendant que ton papa essaie de trouver quelqu'un qui pourrait lui dépanner son ordinateur. Tu vas peut-être bientôt pouvoir télécharger les images de Mimi la souris que tu voulais.

À noter : si tu es trop occupée pour passer par toutes les étapes indiquées ci-dessus, contente-toi de te prendre le pied dans le câble d'alimentation.

BATTRE LE RECORD DU MONDE DE TEMPS PASSÉ SUR UNE BALANÇOIRE

Pour faire dépenser un peu leur trop-plein d'énergie à tes parents, rien de tel que de les emmener au parc et de leur demander de te pousser sur la balançoire pendant quelques heures. Pendant que tu y es, profites-en pour essayer de rentrer dans le *Guiness Book des records* pour « Le temps le plus long passé sur une balançoire (en mouvement constant) ». Cependant, trois obstacles principaux s'opposent aux candidats à un record dans cette catégorie :

1. Il y a d'autres enfants qui attendent que « ce soit leur tour ». Ignore-les : n'oublie pas que c'est toi qui es arrivé le premier. Ignore aussi leurs parents qui insistent lourdement pour essayer de te faire descendre en disant : « Ne t'en fais pas, Alban. Ça fait vraiment très longtemps que cet enfant est sur la balançoire, donc ce sera bientôt ton tour. » C'est juste une tactique pour te faire descendre de la balançoire et mettre leur enfant dessus.

2. Tes parents disent qu'ils commencent à avoir mal aux bras. Utilise différentes tactiques en fonction du parent dont il s'agit. Si c'est ton papa, flatte-le en lui disant que ce n'est pas possible qu'il ait les bras qui fatiguent parce qu'il est un « Superpapa ». Il sera tellement content que tu arriveras à tirer de lui encore au moins une demi-heure. Si c'est maman, dis-lui que ce nouveau T-shirt à manches courtes lui fait vraiment de très jolis bras, et que ça doit être parce qu'elle les a fait beaucoup travailler en te poussant sur la balançoire. Elle sera ravie, surtout si tu le dis assez fort pour que les autres mamans t'entendent.

3. C'est l'heure de rentrer manger. Commence à négocier. Avec un peu de chance, tu obtiendras le droit de dîner sur le pouce. Mais tu auras plus de chances que ça marche si c'est sandwichs que si c'est spaghettis bolognaise, auquel cas tu vas devoir juste dire que tu n'as pas faim et que tu ne veux pas dîner. Ne t'inquiète pas : ton papa et ta maman se feront un plaisir de t'apporter un petit en-cas préparé avec amour quand tu te réveilleras au milieu de la nuit avec l'estomac qui gargouille.

52 TOUT NU !

La meilleure façon de mettre de l'ambiance dans une fête de famille un peu rasoir, c'est d'enlever tous tes vêtements et d'aller courir un peu partout en gloussant. Pour tout dire, se mettre dans le plus simple appareil, puis crier « regardez-moi ! » permet presque toujours de détendre l'atmosphère.

Voici quelques-unes des meilleures occasions :

* Lors d'un repas dans un restaurant où les nappes sont blanches, et où on ne propose ni menu enfants, ni kit de coloriage.
* Lors d'une visite au bureau de ton papa ou de ta maman.
* En allant voir quelqu'un à l'hôpital.
* Chez le dentiste.

Voici la marche à suivre :

* L'effet de surprise est essentiel, alors surtout, ne dis à personne ce que tu t'apprêtes à faire.
* Le moment choisi a aussi toute son importance. Aucun de tes parents ne doit être assez près de toi pour pouvoir t'attraper.
* Envoie valser tes vêtements et prends la poudre d'escampette (fais bien attention à avoir retiré complètement ton pantalon, sinon tu risques de te prendre les pieds dedans).
* Cours aussi vite que tu peux.
* Observe la réaction des gens autour de toi : amusement, indignation, répulsion…
* Un de tes parents se lancera à ta poursuite. Fais des zigzags en prenant des virages brusques pour le semer. Les adultes, c'est comme les éléphants : avec leur masse imposante, ils ont du mal à changer de direction en pleine course.
* Cependant, ils finiront tout de même par arriver à t'attraper et te chargeront sur leur épaule comme un sac à patates. C'est un peu humiliant, mais la poussée d'adrénaline que tu viens de t'offrir en vaut bien la peine.

53 FAIRE UNE COLLECTION

Pas besoin d'avoir de l'argent pour devenir collectionneur. Regarde autour de toi : il y a des trésors à ramasser partout, et ils sont gratuits !

Commence par une « Collection Nationale du Bout de bois » : fourre quelques brindilles dans le sac de ta maman ou dans la poche de ton papa pendant les promenades. Le temps passant, tu peux commencer à ramasser des bâtons de plus en plus gros, jusqu'à ce que tes parents se retrouvent à ramener du parc des branches de 2 mètres sur ta poussette.

À noter : Les adultes les plus malins essaieront de te persuader de laisser tes bouts de bois à la sortie du parc, en te disant que « comme ça un chien pourra jouer avec quand il les trouvera ». Ne tombe pas dans le piège : les propriétaires de chiens disent la même chose à leur animal : « Lâche, Toby ! Comme ça un enfant pourra jouer avec quand il le trouvera. »

En ouvrant l'œil, tu pourras aussi trouver quelques élastiques : les facteurs en laissent tomber un peu partout, même s'ils sont considérés comme une cause d'accidents domestiques et que monsieur le facteur pourrait avoir des problèmes si quelqu'un glissait dessus. En les ramassant, tu l'aides peut-être à garder son travail.

Avec le temps, tu te rendras compte que les trottoirs sont véritablement recouverts de merveilles de toutes sortes, alors ouvre grand les yeux. Il peut y avoir des pièces de monnaie, des petits cailloux qui brillent quand il pleut, des morceaux de métal, des vieux cotons-tiges… la liste est infinie !

Dépose tes trouvailles à l'arrière de ta poussette et ne t'en soucie plus par la suite, à moins que tu retrouves ta collection à la poubelle, bien sûr. Dans ce cas, le mieux est de la transférer dans le sac à main de ta maman, où elle sera en sécurité.

 FAIRE PIPI DEHORS

Tu en as ras la culotte d'être mis sur le pot ? Un petit pipi en extérieur te changera un peu de la routine habituelle, et te donnera aussi l'occasion de prendre un peu l'air !

La première fois, ce sera sans doute un accident. Tu étais accroupi dans l'herbe à regarder un escargot, et tout à coup, paf : tu te retrouves à faire pipi dans ta culotte. Ok, ensuite on est un peu mouillé, mais tu t'apercevras tout de suite que c'est beaucoup moins galère que de se farcir le processus habituel.

Ta maman emportera ton pot partout et sera contente que tu ne mettes plus de couches, et toi, tu seras content de faire pipi dans tout plein d'endroits originaux :

* Devant un café. D'ailleurs pourquoi ne pas en profiter pour laisser d'autres enfants faire eux aussi leurs besoins dedans ? Après tout, ta maman va le vider juste après, donc autant qu'il soit bien plein à ras bords.

* Dans un centre commercial. Si tu profites d'un voyage en ascenseur pour aller sur le pot, ça te permettra de faire connaissance avec tout un tas de gens différents tout en faisant pipi en même temps.

* Dans un bateau-mouche, en passant devant Notre-Dame. Vue panoramique, cadre de prestige, petit pipi au fil de l'eau : quoi de plus raffiné ?

Un jour ou l'autre, ton pot sera mis au placard, mais avant de devenir un utilisateur confirmé de toilettes « de grands », il y a une expérience ultime à vivre absolument :

FAIRE PIPI SUR LA BANDE D'ARRÊT D'URGENCE D'UNE AUTOROUTE !

Il faut qu'un adulte te tienne, avec les mains bien calées sous tes genoux (il ne faudrait pas que tu fasses sur tes vêtements). Tu remonteras dans la voiture bien soulagé. Tes parents remonteront dans la voiture avec une jambe mouillée. Un vrai bonheur.

55 METTRE DE L'ANIMATION DANS UN REPAS AU RESTAURANT

Un repas au restaurant est toujours un moment privilégié de la vie familiale. Ça fait une pause bien méritée à ta maman qui est dispensée de faire la cuisine, l'occasion pour ton papa d'impressionner les serveurs par son vaste savoir œnologique (« Le deuxième en partant du haut, s'il vous plaît ») et toi, tu peux t'amuser avec les séchoirs à mains dans les toilettes.

À noter : observe l'étrange différence de comportement de ton papa et ta maman par rapport aux repas à la maison. D'habitude, quand tu renverses ton verre, ils te disent sèchement de « faire attention ». Au restaurant, ça devient : « ça va, mon chéri ? Tu en veux un autre à la place ? » Exploite au maximum cette stratégie parentale inhabituelle.

Voici donc quelques-unes des choses à faire :

* En attendant que les plats arrivent, pars faire un petit tour dans le restaurant. Reste planté devant les gens qui te semblent intéressants en les regardant fixement. Ne dis rien. Contente-toi d'examiner attentivement ce qu'ils mangent.

* Enfin ton assiette arrive, et ce qu'il y a dedans a l'air délicieux ! C'est le moment de te rendre compte que tu as encore besoin d'aller aux toilettes. Quand ta maman te fait remarquer que tu y es déjà allé trois fois, explique bien fort que tu as « envie de faire caca ». Ta maman jettera un regard furieux à ton papa, puis ton papa t'accompagnera aux toilettes. Surtout, prends tout ton temps une fois que tu y es, il n'y a aucune raison de te presser.

* De retour à table, mange juste les bouts que tu aimes, et pose discrètement le reste dans l'assiette de ton papa pendant qu'il ne regarde pas. En sortant, vous émergerez du restaurant en clignant des yeux, éblouis par le jour, en ayant du mal à croire qu'il n'est que huit heures moins le quart.

56 APPELER TON PAPA PAR SON PRÉNOM

Sais-tu qu'en fait, tes parents ne s'appellent pas Papa et Maman ? Il semblerait qu'ils aient été des « vrais gens » avant de t'avoir, avec des prénoms normaux, comme Sophie et Bertrand, Agnès et Jérôme, ou Nathalie et Jean-Michel.

Certains parents se font un peu prier pour dire leur vrai prénom à leurs enfants, mais persévère, car quand tu les auras découverts, tu vas pouvoir bien t'amuser en public.

Imagine un peu : un jour, tu seras au rayon homme des Galeries Lafayette avec ton papa, pendant que ta maman sera à l'étage du dessous en train de chercher désespérément une tenue pour le mariage d'un ami. Ton papa te demandera ce que tu penses du pantalon qu'il a sous les yeux, et tu répondras : « Je le trouve super, Marc ! »

Ton papa te demandera calmement d'arrêter de l'appeler Marc. À ce moment-là, mets-toi à courir dans tout le magasin en criant : « Pourquoi ? Il ne te plaît pas, ton prénom, Marc ? Marc, Marc, Marc ! ». Ton papa te dira tout à coup en faisant la grosse voix : « Arrête de m'appeler Marc, appelle-moi "papa" ! ». Écoute comme tout le monde se tait tout à coup dans le magasin. Ton papa jettera un coup d'œil autour de lui, en notant l'air apitoyé des gens qui le regardent.

Un homme s'approchera de vous. Il dira calmement à ton papa : « Vous devriez commencer par lui demander de vous appeler "tonton Marc", non ? Vous ne croyez pas qu'il est déjà assez bousculé comme ça, ce petit ? »

Ça fera bien rire ta maman quand vous lui raconterez ce qui s'est passé.

57 MANGER DEVANT LA TÉLÉ

Ta maman pense que les enfants doivent prendre leurs repas assis à une grande table recouverte d'une nappe en vichy, en racontant ce qu'ils ont fait dans la journée et en écoutant de la musique classique. Bon, nous sommes bien d'accord que ce ne serait pas une vie pour qui que ce soit, et que de toute façon, d'ici à tes huit ans, tu seras vautré devant la télé comme tout le monde, à siroter du coca et à manger des Babybel. Mais on n'y est pas encore : pour le moment, le rêve de ta maman est intact et tu vas devoir faire avancer les choses en procédant par étapes.

Commence doucement : demande à grignoter un fruit pendant que tu regardes Mimi la souris. Ta maman sera tellement contente que tu aies demandé à manger une banane en rondelles qu'elle ne se rendra pas compte de ce qui vient de se passer.

Petit à petit, jour après jour, fais-lui progressivement abandonner ses beaux principes. Passe du fruit à quelque chose de bon pour la santé qui fait des miettes (une tranche de pain grillé, c'est parfait). En moins de temps qu'il n'en faut pour le dire, tu auras le droit de sortir de table pour aller prendre ton dessert devant une émission pédagogique comme le Gulli Mag.

À partir de là, il n'y a plus qu'un tout petit pas à franchir pour arriver au stade ultime : manger une grosse part de pizza quatre fromages en regardant Plus belle la vie. Le rêve.

À noter : en cas d'hostilité, fais remarquer à ta maman que c'est ce qu'elle fait une fois que tu es couché.

58 T'INCRUSTER DANS LE LIT DE TES PARENTS

Passer d'un lit à barreaux à un vrai lit de grand, c'est génial : à partir de ce moment, tu es libre d'aller passer toutes tes nuits en sandwich entre ton papa et ta maman sous leur couette.

Au début, tu seras peut-être le bienvenu. Si ce n'est pas le cas, attends juste qu'ils se soient endormis, puis glisse-toi sous la couette au pied du lit et remonte jusqu'à eux. Mets-toi bien au chaud dans le petit creux au milieu du matelas : c'est, comme chacun sait, l'endroit le plus confortable dans un lit double.

Commence par rester recroquevillé en boule comme un petit hamster, en serrant contre toi un doudou pour avoir les bras bien calés contre ton corps. Il se peut qu'à ce moment-là, tes parents se réveillent et se chuchotent avec attendrissement que tu es vraiment trop mignon comme ça. Surtout, n'engage la conversation avec eux d'aucune manière à ce moment-là, sinon ils risquent de te renvoyer dans ton lit. Reste là sans faire de bruit, et vous vous rendormirez tous bien vite.

Une fois en phase de sommeil paradoxal, n'hésite pas à te mettre complètement à ton aise. Retourne-toi à 180° en envoyant un grand coup dans le nez de ta maman avec ton bras, et en mettant des coups de genoux dans le zizi à ton papa (voir note ci-dessous).

À noter : Quand il a mal, ton papa se met à appeler son zizi « les burnes », « les roubignoles », ou, si ton papa est plus âgé, « les bijoux de famille ». Pense à employer ces mots à ton tour la prochaine fois que tu vois ton papa sous la douche.

Le moment où tu dors comme ça, bien étalé en travers du lit, est le plus reposant de toute la nuit, alors profites-en bien.

Le lendemain matin, donne des petits coups de coude à ta maman (mais pas trop fort pour pas qu'elle tombe par terre) et demande-lui pourquoi elle dort avec la tête sur la table de nuit. Puis va chercher ton papa : il est roulé en boule dans ton petit lit. C'est marrant de le voir comme ça, non ?

59 T'ASSEOIR EN HAUT D'UN TOBOGGAN ET REFUSER DE BOUGER

La place souveraine dans une aire de jeux, c'est tout en haut d'un toboggan. De ce point stratégique, non seulement on voit tout ce qui se passe, mais on a aussi le pouvoir de faire cesser complètement toute activité de glissade pendant aussi longtemps qu'on le désire.

* Assieds-toi les jambes ballantes sur le toboggan. Assez vite, les autres vont se mettre à faire la queue derrière toi.

* Évite de croiser le regard de qui que ce soit qui se trouve en bas, sans quoi ils tenteront de te persuader de descendre.

* Reste sourd aux supplications de ceux qui te demandent de bouger de là. Regarde fixement droit devant toi, et savoure ton pouvoir.

* Accroche-toi bien aux rebords pour empêcher les autres enfants derrière toi de te pousser sur le toboggan.

* Si tu portes un gros manteau épais, cela formera un rempart d'autant plus large, ce qui veut dire que personne ne pourra accéder au toboggan en passant à ta droite ou à ta gauche.

* Ne te laisse pas déstabiliser. Ça ne fait rien que tous les autres enfants soient plus grands que toi : tu ne bougeras pas d'un cil.

Ton papa essaiera de lever les bras pour t'attraper : recule de quelques centimètres pour l'en empêcher. Cela l'obligera à monter te chercher. Il est marrant à voir comme ça, à quatre pattes sur une petite échelle en fer, non ?

Quand ton papa arrive près de toi, c'est le meilleur moment pour te laisser enfin glisser en bas du toboggan. À ce moment-là, il n'aura pas d'autre choix que de descendre lui aussi par le toboggan. Du moins s'il n'a pas des trop grosses fesses !

DE 2 À 3 ANS

60 TE PRENDRE UNE CUITE AU SUCRE

Tu as remarqué comme ta maman se met à rire comme une hystérique après avoir bu un ou deux verres de vin ? Ou comme ton papa commence à aller voir tout le monde pour leur proposer de faire un bras de fer après avoir pris quelques « remontants » ? Eh bien, ce comportement inhabituel est dû aux effets d'un liquide magique appelé « alcool ». Malheureusement, les enfants n'ont pas le droit de boire de l'« alcool », mais ne t'en fais pas : il y a quelque chose appelé « sucre » qui fait exactement le même effet.

Le sucre se trouve dans les meilleures choses à manger : les bonbons, les biscuits, les gâteaux, le chocolat et la glace. Le hic, c'est que beaucoup de parents ne veulent pas que leurs enfants mangent des choses trop sucrées.

À noter : les parents qui te proposent une galette de riz ou des quartiers de pomme comme « friandise » sont généralement ceux qui sont capables de se descendre un paquet de cookies double chocolat quand ils pensent que tu ne les vois pas.

Pour te faire ta première orgie de sucré, le meilleur moyen est de repérer les adultes qui n'ont pas les mêmes inhibitions que ton papa et ta maman. Commence par la génération au-dessus d'eux : Mamie sera sans doute ravie de te donner sept parts de gâteau au chocolat en un seul goûter, en arguant que c'est « très nourrissant ». À défaut, repère les adultes qui ne connaissent rien aux enfants. Essaie de convaincre tante Estelle, l'amie de tes parents qui n'a pas d'enfant et qui te garde pour la soirée, que tu prends toujours un paquet de fraises tagada et un verre de limonade avant de te coucher. Quelle bonne soirée vous passerez ensuite à jouer ensemble jusqu'à minuit !

Parce que c'est ça qui est génial avec le sucre : ça donne plein d'énergie à dépenser, et plein d'idées pour bien rigoler. Il se peut effectivement que tu sois un peu ronchon ensuite, quand ta maman se sera chargée de te faire redescendre sur terre, mais entre nous, on sait que ça en vaut la peine, non ?

DE 2 À 3 ANS

DE 3 À 4 ANS

Trois ans, l'âge magique

Tu as donc trois ans : c'est le moment où tu entres dans « l'année de la Question suprême ». Comme Socrate et Mireille Dumas avant toi, tu vas bien vite comprendre que le meilleur moyen d'apprendre des choses, c'est de poser quelques questions bien senties. En moyenne, cette année, tu devrais poser 31 questions par heure, ce qui veut dire que si tu restes éveillé douze heures dans la journée, tu poseras 372 questions par jour, voire plus si tu n'es pas un très gros dormeur. Bien entendu, si tes parents ne parviennent pas à te donner de réponse satisfaisante, tu seras obligé de continuer à leur poser la même question indéfiniment. C'est comme ça : ton mot-clé cette année, c'est « pourquoi ».

Ne te préoccupe pas de savoir si tu risques d'offenser quelqu'un : tu es trop petit pour savoir ce que c'est que le tact. Si tu veux savoir pourquoi « le monsieur pue », pourquoi tante Catherine se met à pleurer après avoir bu quelques verres de vin, ou par où exactement les bébés sortent du ventre de la maman, le meilleur moment pour demander, c'est tout de suite.

En posant des questions, tu sauras de plus en plus de choses, or le savoir est ce qui te différencie de la catégorie de gens que tu exècres : les bébés. Il n'y a pas de plus grande insulte pour quelqu'un d'un âge respectable comme le tien que d'être traité de « bébé ». Si quelqu'un ose le faire, roule-toi par terre en hurlant de colère. Ça lui montrera comme tu es grand et raisonnable.

Alors, c'est parti, ne perdons plus de temps, répète après moi : « Pourquoiiiiiiiii ? »

TE FAIRE UN RELOOKING COMPLET

Au début, il se peut que tes parents t'aient affublé de divers accoutrements ridicules et se soient payé de bonnes tranches de rigolade à tes dépens. Peut-être en as-tu vu des preuves : des photos de toi déguisé en citrouille (Halloween), en lapin (Pâques), ou avec de drôles de lunettes et une moustache dessinée à l'eye-liner (l'anniversaire de ta maman – elle avait un peu bu). Mais oublie cette malheureuse époque. Le moment est venu de choisir toi-même ton look.

La bonne nouvelle, c'est qu'il n'y a pas besoin de beaucoup de temps ou d'argent pour se faire un relooking. Il suffit de quelques astuces bien trouvées et d'un peu de savoir-faire, et tu peux facilement changer de style de la tête aux pieds. Voici quelques idées simples dont tu peux t'inspirer :

* Dessine-toi dessus au marqueur indélébile. Le moment idéal pour le faire, c'est la veille du mariage de ta tante, où tu dois être enfant d'honneur. Ne te limite pas à ton corps : avec le visage recouvert de graffitis au feutre noir, tu auras aussi un look d'enfer. Si tu dois être petit garçon d'honneur, fais-toi un beau tatouage « tête de mort » sur le front.

* Personnalise ta garde-robe et crée des pièces uniques avec les vêtements que tu as déjà. Découpe ta jupe de fête qui brille en lambeaux afin de lui donner une touche « Cendrillon » inimitable, enduis tes T-shirts de colle à paillettes (pas besoin de les sortir du tiroir pour le faire), ou enterre tous tes vêtements dans le jardin pour leur donner un aspect « vintage » très tendance.

* Crée-toi un look d'été frais et coloré. C'est facile : avec une paire de gros ciseaux et le coffret de maquillage Estée Lauder à 200 € que ta maman a eu à Noël, tu as tout ce qu'il faut.

Laisse parler ton imagination et bientôt, tu auras ton style bien à toi !

62 TE DÉBROUILLER POUR POUVOIR MANGER DES COCHONNERIES

Si tes parents rechignent un peu à te donner des sucreries, essaie l'une des stratégies suivantes. Ils t'ouvriront un paquet de biscuits en moins de deux !

* Utilise une formule du type : « J'ai besoin de quelque chose pour reprendre des forces ». S'ils te proposent quelque chose de bon pour la santé, comme du raisin, secoue la tête et explique que tu as « faim de biscuits ».

* Ta maman n'aime pas avoir l'air de t'imposer des privations, alors demande-lui à grignoter en présence d'un autre adulte. Par exemple, quand la veille dame qui habite en face vient sonner à la porte et que ta maman est en train de bavarder poliment avec elle. Cinq minutes avant, elle disait que ce n'était pas bon de manger autant de sucre. Mais là, elle dira : « Va te servir, mon poussin ».

* Soudoie la baby-sitter. Si tu es gardé par quelqu'un d'autre que tes parents, explique-lui calmement que ton papa et ta maman te laissent manger tous les bonbons et les gâteaux que tu veux.

* Quand tu vas à un goûter d'anniversaire, ne laisse pas ta maman exercer une « censure » sur ton sachet à bonbons. Tu ne le sais peut-être pas encore, mais avant que ta maman mette la main dessus, les petits sachets qu'on te donne aux goûters d'anniversaire sont remplis de succulents bonbons : il est donc vital que ce soit toi qui y accèdes le premier. Essaie de demander à en avoir un dès ton arrivée, ou propose d'échanger ton cadeau contre un de ces sachets. Éventuellement, passe l'après-midi entier à rôder autour de la table où ils sont posés. Tu ne pourras participer à aucun des jeux, mais ça en vaut la peine.

* Va te servir tout seul. Une chose essentielle dans la vie, c'est de savoir ouvrir la porte du réfrigérateur ou du congélateur. Mais ça demande pas mal de force, pense donc éventuellement à en bloquer la porte avec un petit jouet pour qu'elle reste ouverte, ce qui t'épargnera cet effort les fois suivantes.

63 RÉPÉTER UNE PUBLICITÉ ENTIÈRE COMME UN PERROQUET

Tu n'en es encore qu'à apprendre à écrire ton prénom et à compter jusqu'à dix, mais pour vraiment impressionner ta maman, montre-lui toutes les choses incroyables que tu as apprises à la télévision.

Tu peux par exemple dire : « Une assurance auto plus simple et plus efficace ? C'est possible ! Demandez vite à faire un devis personnalisé : nos tarifs sont nets et sans surprises. Appelez-nous et bénéficiez en ce moment d'une couverture gratuite sur les risques personnels. Avec nous, vous aurez enfin l'esprit tranquille. »

Pour un effet maximum, répète la publicité en boucle au moment où tu entends ta maman dire à sa copine qu'elle te restreint à une demi-heure de télévision par jour, de préférence pour regarder des programmes éducatifs comme *Adibou aventure*. Si possible, essaie de choisir une publicité pour un numéro de voyance téléphonique ou pour des prothèses mammaires. Ta maman trouvera ça très amusant !

64 RENTRER À LA MAISON AVEC UNE CULOTTE QUI N'EST PAS À TOI

Dans le tiroir à petit linge de tout enfant, il y a un coin où s'entassent les culottes appartenant à d'autres enfants. On y trouve par exemple :

* La culotte prêtée par un copain chez qui tu as été invité le jour où tu avais oublié d'en mettre une.

* La culotte que tu as empruntée parce que tu avais fait pipi dans la tienne.

* La culotte en dépôt parce que tu as pris un bain la dernière fois que tu as été invité chez un copain.

* La culotte que tu as échangée en secret avec un copain.

* La culotte que tu as mise par inadvertance après un après-midi déguisements.

Les règles d'or de l'emprunt de culotte :

* Une maman ne prête jamais la plus belle culotte de son enfant. Elle prête celles qui sont un peu défraîchies, avec une image presque effacée de Charlotte aux fraises ou de Spiderman sur l'avant.

* Un papa prête toujours la plus belle culotte de son enfant, parce qu'il pense à tort que c'est ce que ferait une maman.

* Une culotte doit être rendue lavée et présentée dans un petit sac plastique tout propre, ou pas rendue du tout.

* Les culottes qui n'ont pas été rendues à leur propriétaire ne doivent pas être prêtées aux autres petits copains qui viennent à la maison pendant au moins six mois. Passé ce délai, elles tombent dans le domaine public.

65 APPRENDRE À FAIRE TOURNER UNE TÉTINE DANS TA BOUCHE

Si tu as la chance d'avoir pu garder une tétine jusqu'à aujourd'hui, ce serait bête de devoir l'abandonner maintenant. Quand ta maman commence à faire des remarques comme : « Et si tu réservais la tétine pour aller au lit ? », ou même « S'il te plaît, arrête la tétine. En échange, je t'achèterai une Nintendo DS », c'est que le moment est venu de déployer de nouvelles tactiques.

Plutôt que d'accepter d'arrêter à ton prochain anniversaire, ou de la donner « aux enfants pauvres », apprends à faire tourner une tétine dans ta bouche. Ce petit tour d'adresse impressionnera les enfants comme les adultes et te vaudra toujours un moment de succès quand il y a du monde. Ça contribuera même à redorer le blason de tes parents auprès de leurs amis.

Voilà comment faire :

1. Passe dans la pièce en faisant un gros bruit de succion avec ta tétine, de façon que tout le monde se tourne vers toi.
2. Place le bout de ta langue contre l'intérieur de ta joue gauche.
3. Fais pivoter ta langue d'un coup vers l'autre côté de ta bouche. Cela fera faire un tour à 180° dans ta bouche à ta tétine.
4. Laisse-toi applaudir fièrement.
5. Repars en faisant un gros bruit de succion.

Simple mais efficace.

66 AVOIR DE MAUVAISES FRÉQUENTATIONS

Pourquoi est-ce que ce serait toujours à ton papa et ta maman de décider qui vient jouer avec toi à la maison ? Ce que tu veux, c'est t'amuser, alors qu'eux, ils préfèrent quelqu'un de « mignon ». Essaie de te libérer de l'emprise malsaine qu'ils ont sur ta vie sociale, et, pour une fois, invite quelqu'un que tu as choisi toi-même.

Pourquoi ne pas commencer avec les Quatre Enfants Infréquentables de l'Apocalypse :

1. **Le Grossier.** À son arrivée, le Grossier semble être un enfant calme et réservé, mais dès que sa maman repart, sa vraie nature se révèle. Il passe l'après-midi à dévaster la maison, à dire à ta maman qu'elle « pue comme du caca », et à cracher par terre la nourriture qu'il n'aime pas. Le Grossier retrouve son comportement calme et réservé dès le retour de sa maman, qui s'abstient soigneusement de demander s'il a été sage, et repart avec lui sans demander son reste.

2. **La Boutonneuse.** Ta maman ne découvre les curieuses plaques rouges qui lui couvrent le corps qu'après qu'elle a essayé tous tes déguisements sans son maillot de corps. Ta maman note dans sa tête de penser à tout laver à 90° quand la Boutonneuse sera partie. Puis sa maman arrive, reste des heures à boire d'interminables tasses de thé, et suggère que toi et la Boutonneuse preniez votre bain ensemble, « comme il est un peu tard ». Avant que ta maman ait pu dire quoi que ce soit, la maman de la Boutonneuse vous a tous les deux sortis du bain et essuyés avec LA MÊME SERVIETTE. Ta maman passe ensuite la soirée à faire des recherches sur Internet en tapant « Zona » et « Impétigo ».

3. **Le Sournois.** De prime abord, le Sournois est un enfant adorable. Au milieu du repas, il demande poliment à ta maman s'il a le doit de monter à l'étage pour aller aux toilettes. Ta maman le regarde monter l'escalier, éblouie par de si belles manières. Une fois en haut, il vide d'un coup le contenu de son Lait de Bain Relaxant Biotherm dans le lavabo, ferme la bonde et ouvre les robinets à fond, puis revient sagement s'asseoir à table pour prendre le dessert.

4. **Le Bizarre.** Le Bizarre a une maman bizarre avec un tatouage « découper selon les pointillés » autour du cou et un string à brillants grisâtre qui dépasse de son bas de survêtement en Nylon satiné. Cela dit, elle est relativement polie : elle éteint sa cigarette en l'écrasant dans le bac à géraniums et pose sa canette de bière brune avant d'entrer dans la maison.

Si ta maman trouve quoi que ce soit à redire, fais-lui juste remarquer qu'elle, elle a le droit de faire venir ses amies Infréquentables de l'Apocalypse quand elle veut : La Commère, la Picoleuse, La Carriériste, et la Dirigiste.

67 REGARDER TON FILM PRÉFÉRÉ CINQUANTE FOIS DE SUITE

Pourquoi regarder quelque chose de nouveau ? Tu sais ce que tu aimes, et tu n'aimes que ce que tu connais, alors si tu as un film préféré, tu n'as aucune raison d'en regarder un autre. Après tout, il faut avoir vu *Le Roi Lion* une bonne trentaine de fois pour bien en saisir toutes les subtilités, *La Belle et la Bête* une quarantaine de fois avant d'arriver à se mettre vraiment dans la peau des personnages, et *Mary Poppins* une cinquantaine de fois pour arriver à dire « supercalifragilisticexpialidocious ».

D'une certaine façon, tu es comme ta maman : elle regarde *Plus belle la vie* environ 200 fois dans l'année, et on dirait que tous les épisodes sont les mêmes. À chaque fois, on entend les mêmes répliques : « Tu sais, je ne sais plus où j'en suis, il faut que je fasse le point », « J'arrive pas à m'empêcher de penser à lui, c'est plus fort que moi », et « Franchement, laisse tomber ».

Mais malgré ça, ton papa et ta maman essaieront de te persuader de regarder autre chose. Peut-être te loueront-ils *Bambi* à la bibliothèque, ou même t'offriront-ils le DVD de *Shrek*. Ignore ces tentatives, même si au bout de la quarante-huitième fois où ils voient la Belle au bois dormant se piquer le doigt sur la quenouille, ils se prennent la tête entre les mains et se balancent d'avant en arrière en disant : « Je vais craquer ! ». Tu dois rester ferme. C'est ton rituel du soir, c'est ton film à toi.

Et puis un jour, sans raison apparente, annonce que tu as envie de regarder *High School Musical*. Ta maman te regardera d'un air perplexe et te demandera pourquoi tu ne veux pas regarder comme d'habitude, réponds-lui : « Je l'ai déjà vu. »

68 ÊTRE CRÉDULE

À ton âge, c'est encore difficile de faire la différence entre ce qui est imaginaire et ce qui est réel. Il faut bien l'avouer : tu es à une époque de ta vie où tu crois sans doute tout ce que ton papa et ta maman te disent. Voici quelques grands classiques (ça ne te rappellerait pas quelque chose par hasard ?) :

* Je n'ai pas d'argent sur moi. Quel dommage.

* Non, je n'ai pas mangé ton chocolat. Ça doit être mon dentifrice goût chocolat que tu sens.

* Bien sûr que non, je n'ai pas jeté tes dessins. Ils sont rangés bien à l'abri au grenier.

* Ne touche jamais à mon ordinateur : il est très chaud et tu te brûlerais les doigts.

* C'est le dernier biscuit qu'il reste dans toute la maison.

* Non, il n'y a absolument pas de légumes dedans.

* Je ne sais pas où a bien pu passer la batterie que Mamie t'a offerte à Noël.

* Ne fais jamais pipi dans la piscine. Ils mettent un produit spécial dans l'eau qui devient violet au contact du pipi, donc si tu le fais ça se verra tout de suite et tu seras obligé de sortir.

* Oh zut, tu entends la petite musique que fait la camionnette du marchand de glaces ? Ça veut dire qu'il n'y a plus de sucettes.

Tout ça, ce sont des mensonges qu'inventent ton papa et ta maman pour économiser de l'argent, pour se simplifier la vie, ou juste pour rigoler un bon coup.

Tu pourras commencer à te venger vers cinq ans. Quand ta maman essaiera de te faire rentrer gratuitement au Futuroscope en disant que tu as quatre ans, demande-lui tout fort pourquoi elle ment. Sur le moment, elle sera fâchée, mais ensuite, elle en rira.

69 FAIRE DANS LE LUGUBRE

Ton papa et ta maman t'aiment énormément. Tu es la prunelle de leurs yeux. Mais apparais sous leurs yeux devant un paysage sombre, au milieu de la nuit, avec une longue chemise de nuit blanche, et tu leur ficheras une trouille bleue. Pendant quelques abominables secondes, ils ne verront plus en toi leur fille adorée, mais la fillette de Poltergeist.

La première étape, c'est de faire quelque chose d'inquiétant. Peut-être viens-tu de dessiner ton premier bonhomme : deux yeux, une bouche, et même un petit gribouillis pour le nez. Ta maman le trouve tellement beau qu'elle veut l'encadrer, surtout si tu lui dis que c'est un portrait d'elle. Alors demande tout gentiment si tu peux le reprendre quelques instants, puis prends un stylo noir et mets-toi au travail : entoure les yeux en appuyant si fort que ça finit par faire des trous dans le papier.

Maintenant que tu as vu la réaction que ça provoque chez tes parents quand tu fais quelque chose d'effrayant, tu peux passer à l'étape suivante : dire quelque chose d'effrayant. Peut-être qu'une fois, quand tu étais au parc avec ta maman, vous avez regardé un adorable chien jouer à rattraper un bâton au vol, et que ce jour-là, elle t'a expliqué qu'un an de vie, ça correspond pour un chien à sept ans de vie pour nous. Quelques jours plus tard, juste après que ta maman t'a fait ton bisou du soir et a éteint la lumière de ta chambre, lance-lui avant qu'elle ferme la porte : « Scooby Doo, il va mourir avant Sammy. » Elle en restera pantoise.

70 FAIRE POUSSER UN TOURNESOL

Certains adultes font toute une histoire du jardinage, en disant que c'est vraiment difficile. Mais la vérité, c'est que planter quelque chose, c'est archi-fastoche – d'ailleurs tu peux le prouver en faisant pousser un énorme tournesol. Franchement, en quoi est-ce que le jardinage est quelque chose de difficile si quelqu'un de ton âge arrive à faire pousser la plus grande et la plus belle des fleurs qui soit, en deux coups de cuiller à pot ? Voilà comment faire :

1. Enfonce une graine dans un pot de terreau.

2. Arrose-la douze fois par jour – mais seulement le premier jour.

3. Scrute attentivement le pot, en demandant à ta maman quand le petit bout vert va sortir. Puis éloigne-toi, lassé.

4. Laisse ta maman s'occuper de l'arrosage pendant les quelques semaines suivantes.

5. Découvre que ta maman a mis la petite pousse dans un pot plus grand ou dans la terre du jardin. Regarde-la quelques instants, puis éloigne-toi, lassé.

6. Demande à une voisine d'arroser ton tournesol pendant que tu pars en vacances. Insiste pour qu'elle l'arrose douze fois par jour, en expliquant que tu seras très fâché s'il est mort quand tu reviens. Elle se demandera si elle doit annuler ses plans pour le week-end où elle a prévu de partir.

8. Une fois que le tournesol a atteint sa hauteur maximale et que sa fleur s'est ouverte, montre-la fièrement à tous ceux qui viennent chez toi. Attribues-en toi tout le mérite. Il te revient bien sûr entièrement.

71 DIVISER POUR MIEUX RÉGNER

En matière de discipline, ton papa et ta maman s'efforcent de former un front solidaire. Ce qui ne va pas arranger tes affaires pour obtenir ce que tu veux et faire ce qui te plaît. Il faut donc que tu apprennes à les désolidariser.

Le secret de la réussite, c'est de considérer ton papa et ta maman comme deux entités distinctes, et de concentrer tes efforts sur un parent à la fois. Voici ce qu'il faut faire :

* Note attentivement toutes les différences de discipline entre ton papa et ta maman, puis exploite sans scrupule ces différences. Dis des choses comme : « Mais papa a dit que je pouvais », « Maman ne m'oblige jamais à manger tous mes légumes », ou « Tu es beaucoup plus gentille que papa ». (Ta maman te grondera d'avoir dit ça, mais en secret, ça lui fera très plaisir.)

* N'hésite pas à rapporter. Il y a un dicton dans le milieu des truands qui dit que personne n'aime les mouchards, mais dans le milieu des enfants, ce dicton ne pourrait pas être plus faux. Si tu vois ta maman fumer, ou ton papa lire le journal alors qu'il devrait être en train de préparer le dîner, va vite en informer l'autre parent. Surtout si l'heure du coucher approche. Pendant la dispute qui s'en suivra, tu pourras regarder Les pirates de l'espace pendant 10 minutes supplémentaires.

* Le temps passant, tu ressentiras sans doute le besoin de rester au lit un peu plus tard que jusqu'à 5 heures du matin : mauvaise idée ! L'important, c'est que la pression ne retombe pas, parce qu'un parent fatigué tout seul est plus facile à exploiter que deux parents bien reposés ensemble. C'est la seule façon d'être sûr d'avoir des Coco Pops au petit déjeuner.

72 ENTERRER TON PAPA DANS LE SABLE

Une expédition à la plage n'est jamais totalement réussie si tu n'as pas recouvert ton papa de sable. Voici comment faire :

1. Creuse une longue tranchée pas trop profonde dans le sable sec (ou plutôt, demande à ton papa de le faire).

2. Fais s'allonger ton papa dans ce trou.

3. Verse-lui du sable dessus. Prends bien soin de lui en envoyer un peu dans les yeux au passage.

4. Laisse-lui la tête à l'air libre, de manière qu'il puisse respirer, sinon il ne pourra pas conduire pour te ramener à la maison ensuite.

5. Laisse aussi un de ses orteils dépasser du sable, de façon à pouvoir le chatouiller à loisir.

6. Aplatis le sable bien fermement avec une pelle. Ta maman trouvera ça très drôle quand tu lui donneras un coup « dans les boules ».

7. Fais-lui des nénés en formant deux grosses bosses de sable mouillé. Saute tout autour de lui en chantant : « Papa a des gros nénés, Papa a des gros nénés ! »

8. Fais-lui une perruque avec des algues, et peut-être aussi une queue de sirène avec du sable et des coquillages.

9. Demande à ta maman de le prendre en photo.

10. Saute-lui dessus.

11. Enfuis-toi en criant au moment où il se relève en sortant du trou comme un monstre de sable géant.

12. Aide-le à chercher ses clés de voiture. Si la marée est en train de monter, il va falloir faire vite.

FAIRE PASSER DES TRAJETS (EN VOITURE) DE RÊVE À TES PARENTS

Ce qui est bien en voiture, c'est que tu as un parent à disposition, prêt à répondre à tous tes besoins à la seconde. À toi d'en tirer parti le mieux possible. L'important, c'est de bien penser à émettre un flot continu de demandes. Voici quelques petites phrases bien utiles à prononcer pendant un trajet type :

* Est-ce que je peux écouter ma musique ? Je n'aime pas cette chanson-là, est-ce que tu peux mettre moins fort ? J'adore celle-là, est-ce que tu peux mettre plus fort ?

* J'ai trop chaud... est-ce que tu peux ouvrir une fenêtre ? J'ai froid... est-ce que tu peux fermer une fenêtre ?

* J'ai faim... Je n'aime pas le jambon... Oh zut, je l'ai fait tomber par terre. Tu manges quoi, toi ? Est-ce que moi aussi je peux avoir un gâteau ?

* Je veux écouter ma musique ! C'est qui, Michel Drucker ? Il est comment ?

* J'ai envie de faire pipi... C'est pressé... C'est trop tard !

Astuce : *suggère à tes parents d'investir dans un autocollant « Tyran à bord » pour mettre à l'arrière de la voiture.*

En arrivant à destination frais et reposé, félicite-toi que tes parents (oui, ceux-là mêmes qui t'ont ramené de la maternité à 5 km/h il y a bien longtemps de cela maintenant !) sont maintenant entraînés grâce à toi à éplucher une banane et à chercher une chaussure par terre tout en conduisant sur l'autoroute à 130 km/h.

C'est un bel accomplissement, tu peux être fier de toi.

74 DEVENIR EXPERT MONDIAL EN PETITS MANÈGES À PIÈCES

Les adultes semblent ne jamais les remarquer, mais toi, tu le sais : il y en a partout. Dans les centres commerciaux, devant les boulangeries, parfois même sur les aires d'autoroute... Avec des petites lumières qui clignotent, une musique entraînante, ils vont parfois jusqu'à représenter un personnage de ton dessin animé préféré : comment résister ? Mais si savoir apprécier un petit tour dessus est une chose, en être expert en est une autre, et le seul moyen de le devenir, c'est de monter dessus chaque fois qu'on en voit un.

Certains sont beaucoup mieux que d'autres. Parmi les plus prisés, on trouve ceux qui représentent un camion de pompier, un hélicoptère, une voiture de police, un poney, ou un mini-carrousel. Les personnages de dessins animés inconnus venus d'Europe de l'Est recueillent généralement la réprobation, à moins qu'il n'y ait rien d'autre à l'horizon, auquel cas ils sont merveilleux.

À noter : certains ne coûtent que 50 cts, d'autres 2 €. Il n'y a pas vraiment d'explication à cela, mais il semble plus prudent de toujours monter sur les plus chers quand on a le choix.

75 APPRENDRE UN GROS MOT ET L'UTILISER

Les enfants de ton âge ont une incroyable capacité d'apprentissage linguistique, et le meilleur moyen de « pimenter » un peu tes conversations de tous les jours est d'y introduire quelques gros mots soigneusement choisis.

Pour découvrir ces véritables gemmes de vocabulaire, le mieux est d'écouter tes parents. Tends bien l'oreille la prochaine fois que ton papa est au téléphone avec un de ses copains, ou que ta maman lui crie dessus parce qu'il a laissé ses chaussettes qui puent au pied du lit : là, tu vas forcément entendre quelques mots très intéressants, surtout s'ils ne se rendent absolument pas compte que tu les écoutes.

Pour qu'un gros mot « prenne » bien, le secret, c'est de l'utiliser une fois par jour pendant une semaine dans une phrase banale de la conversation. De cette façon, tu intégreras sans effort et tout naturellement ce gros mot à ton vocabulaire. Par exemple, la prochaine fois que ta grand-mère te proposera une part de gâteau et te demandera si tu le trouves bon, souris gentiment et réponds : « La vache oui, Grand-Mère, il est bon ! » Ou un jour, en arrivant à l'école ou à la garderie, tu peux aussi te boucher les oreilles et crier : « Il y a trop de bruit ici maman, fait ch***, on s'en va. »

Cela peut s'avérer particulièrement utile si tu penses que ton papa et ta maman n'écoutent pas bien attentivement tout ce que tu dis : tu retrouveras immédiatement toute leur attention, et après ça, ils ne recommenceront plus à t'ignorer.

76 DIRE LES CHOSES COMME ELLES SONT

Les parents disent qu'il faut toujours dire la vérité, alors n'hésite pas à être aussi franc et direct que tu en as envie en toute occasion.

Tu peux par exemple demander tout haut : « Pourquoi il est si gros le monsieur ? » (points bonus s'il s'agit du patron de ta maman, ou d'un membre de la famille proche comme son beau-père – tu sais, ton papy). Tu peux arriver chez un vieux cousin ou une vieille tante et dire : « Ça pue ici ! », ou demander pourquoi Madame Baquet, la voisine d'à côté, ressemble à un homme, pile au moment où elle passe devant toi. Dans le bus, pourquoi te priverais-tu de rire ouvertement de la coiffure d'un inconnu ? Ou si tes parents ont des invités, demande bien fort quand ils vont partir. Il y a une infinité de possibilités.

Profite au maximum de cette liberté, parce qu'un jour, ta maman finira par dire que parfois, il faut savoir un peu « arranger la vérité » pour éviter de froisser les gens. Demande-lui si elle a déjà fait ça avec toi, et regarde bien l'expression de son visage. Elle admettra qu'il lui est arrivé de te faire « des petits mensonges pas graves », même si là, tout de suite, elle ne trouve pas d'exemple.

C'est le moment de demander si Pinpin s'est vraiment échappé la semaine dernière pour aller vivre avec ses amis dans une ferme. Il boitait vraiment beaucoup, et puis on t'a envoyé de manière imprévue passer l'après-midi chez Mamie, mais tu étais inquiet pour lui et tu as eu peur qu'il meure. Observe-bien le visage de ta maman quand elle te dit que Pinpin va très bien… tu crois qu'elle serait capable de mentir sur une chose pareille ?

ORGANISER TON PREMIER GOÛTER D'ANNIVERSAIRE À THÈME

La seule chose qui compte à un goûter d'anniversaire, c'est d'avoir une table recouverte de bonbons et de gâteaux, et une machine à bulles. Mais ta maman pense qu'il faut organiser quelque chose qui fasse concurrence aux goûters d'anniversaire des autres enfants, elle va donc proposer de te faire un anniversaire à thème. Et si tu l'aidais en lui dénichant un thème génial auquel personne n'a jamais pensé ? Là, ta maman se montrera déjà un peu moins enthousiaste. Elle te dira qu'il vaut mieux rester sur un thème simple comme les princesses, les pirates, les extraterrestres, ou les animaux de la mer. Tape du poing sur la table : si on peut trouver tout le matériel adéquat à Monop', c'est que ce n'est pas un thème assez original. Explique à ta maman que dans *Marie-Claire idées*, il y a des mamans qui font tout à la main (même si ce sont des mamans un peu trop bien coiffées pour être vraies).

Décide par exemple que tu veux un anniversaire sur le thème des marmottes, où tout doit être assorti. Plus de temps à perdre, cours préparer tes cartons d'invitation ! Voici ce que ta maman devra préparer :

* Une nappe, des assiettes et des serviettes à motifs marmottes.
* Des ballons à motifs marmottes.
* Un château gonflable sur lequel sont dessinées des marmottes.

* Un gâteau d'anniversaire en forme de marmotte.
* Des petits canapés découpés en forme de marmotte.
* Des cerceaux pour faire du hula hoop, des bonbons tagada, des BN et des saucisses d'apéritif (là, inutile de tenir compte du thème marmottes).
* Des petits sacs en plastique à motifs marmottes contenant des petits cadeaux sur le thème des marmottes.

Tous les jeux doivent aussi être sur le thème des marmottes :

* Accrocher la queue de la marmotte les yeux bandés.
* Cache-marmotte.
* Marmotte-a-dit.
* La marmotte musicale.
* Colin-marmotte.

Si ta maman fait partie de la jet-set, elle sera sans doute prête à dépenser tout plein d'argent pour faire venir un groupe de vraies marmottes à ta fête. Sinon, une marmotte gonflable fera l'affaire.

Dès le départ de tes invités très satisfaits de leur après-midi, commence à organiser ton goûter d'anniversaire de l'année prochaine. Ce qui serait pas mal, ce serait une fête sur le thème des Aztèques, non ?

78 AVOIR UN AMI IMAGINAIRE

Un ami imaginaire, c'est beaucoup mieux qu'un ami réel, parce qu'on peut le mener au doigt et à la baguette, et lui faire faire exactement ce qu'on veut.

Astuce : si ton papa et ta maman te prennent entre quat'z-yeux pour te demander si tu te sens seul, contente-toi de sourire mystérieusement, et dis : « Non, plus maintenant que j'ai Balthazar avec moi. » Puis pars faire autre chose, en portant Balthazar avec précaution dans le creux de ta main.

Il y a deux catégories d'amis imaginaires : ceux qui habitent dans un objet ou à un endroit précis, et les autres. À toi de découvrir où vit ton ami imaginaire à toi. Peut-être est-ce dans un de tes doudous ou dans une de tes poupées. À moins que ce soit dans ton reflet, ou dans ton ombre. Les amis imaginaires se trouvent aussi parfois dans un arbre du jardin, ou sur la lune : ils peuvent t'envoyer une échelle argentée quand tu vas te coucher pour que tu puisses monter les rejoindre manger des bébés diamants.

Ton ami imaginaire est totalement invisible pour tout le monde, sauf pour toi : c'est donc à toi d'empêcher les gens de lui marcher dessus ou de s'asseoir à sa place à table. Cela peut être une minuscule fée qui voltige au-dessus de ta tête, un furet qui court à tes trousses, ou un hamster volant. Peut-être que tu ne le vois que dans tes rêves, peut-être qu'il s'appelle Mr Flapond et qu'il vit accroché au plafond, ou peut-être qu'on ne peut l'entendre parler que quand il y a du vent dehors. C'est vraiment libre à toi.

Il y a des modes, qui vont et qui viennent : l'année dernière, les dauphins avaient une cote incroyable, mais cette année, il semblerait que ce soient les géants et les écureuils qui remportent le plus de succès. Mieux vaut donc t'y prendre le plus tôt possible, avant que tout le monde te pique ton ami imaginaire en disant que c'est le sien.

Pour finir, si tu n'as pas envie d'avoir un ami imaginaire, tu peux envisager d'avoir un ennemi imaginaire à la place. Il peut s'avérer très utile le jour où tu auras fait une grosse bêtise et que tu auras besoin de rejeter la faute sur quelqu'un d'autre.

BOUSCULER LES IDÉES SEXISTES DE TES PARENTS

Si tu es un garçon, il n'y a aucune raison que tu ne puisses pas mettre une robe de princesse Disney à la « fête des pirates » que ton papa a organisée pour tes quatre ans. Et, si tu es une fille, tu peux refuser catégoriquement de porter la robe rose que ta maman t'a achetée, en disant que « c'est des habits pour les filles ».

Avant d'avoir des enfants, ton papa et ta maman juraient que s'ils avaient un fils, jamais ils ne le laisseraient jouer avec un pistolet ou une épée en plastique. Ils devraient donc être ravis de te voir aller à ton cours de danse en sautillant gracieusement, et en chantant à tue-tête la mélodie d'un ballet fabuleux.

Quand elle a eu une fille, ta maman a absolument tenu à acheter un petit train en bois et un gilet bleu marine. À croire qu'elle avait quelque chose à prouver sur ce terrain. Alors elle ne peut s'en prendre qu'à elle-même maintenant que tu t'obstines à patrouiller dans le jardin en treillis et en bottes de cavalier, en tapant sur tout le monde avec un gros bâton.

80 METTRE TA MAMAN DANS L'EMBARRAS CHEZ LE DOCTEUR

Ta maman a passé des années à t'habiller de façon ridicule, à te filmer en train de te casser la figure, et à t'essuyer le visage devant tout le monde avec un mouchoir plein de salive. Maintenant, c'est à ton tour de lui mettre la honte. Et le meilleur endroit pour ça, c'est chez le docteur, parce que s'il y a un endroit où elle veut avoir l'air le plus responsable et le plus sérieux possible, c'est bien là.

Tu te dis peut-être que ta maman devrait quand même savoir si tu es vraiment malade ou pas : après tout, tu l'as déjà entendue revendiquer être une « mère expérimentée ». Mais la vérité, c'est que ta maman n'en sait rien. Et si tu lui faisais le coup de la « douleur à la jambe » pour l'emmener faire un petit tour chez le docteur ? Voici comment procéder :

1. Lève-toi de ton lit.

2. Tombe.

3. Arrive à la table du petit déjeuner en boitant et en disant « j'ai mal à la jambe ».

4. Ta maman téléphonera chez le pédiatre pour demander un rendez-vous d'urgence.

5. Regarde ta maman téléphoner à son travail pour expliquer qu'elle va être en retard car son enfant est gravement malade.

6. Après une petite heure de galère pour s'organiser, ta maman et toi ferez votre entrée dans le cabinet de consultation du docteur. Quand il te demandera de traverser la pièce en marchant (attention, l'instant est crucial), tu dois…

MARCHER COMPLÈTEMENT NORMALEMENT !

Il se passera alors deux choses :

* Le docteur regardera ta maman avec une expression qui signifie : « Vous, vous êtes une mère angoissée, non ? »
* Ta maman s'excusera auprès du docteur de lui avoir fait perdre son temps.

Au lieu d'être soulagée que tu ailles bien, ta maman te jettera un regard noir, qui signifie qu'elle t'en veut à mort.

Voici quelques autres « maladies » à essayer :

* Les boutons qui disparaissent instantanément.
* La température qui revient soudain à la normale.
* L'appendicite imaginaire. Tes cris finiront par convaincre ton papa et ta maman que tu as une crise d'appendicite, alors qu'en fait tu as juste le petit orteil coincé de travers par un fil de chaussette.
* Le mystérieux mal de ventre. Il doit être assez inquiétant pour que tes parents annulent leur soirée du Nouvel An (même si ça veut dire qu'ils devront quand même payer la baby-sitter), mais assez modéré pour disparaître complètement une fois que tu auras fait un gros pet bruyant une dizaine de minutes avant minuit.

DE 4 À 6 ANS

LES ULTIMES ANNÉES DE D'INSOUCIANCE

Tu en as fait, du chemin, mon petit, et maintenant, te voilà dans la perspective d'aborder les temps où tu as enfin tout ce que tu veux à portée de main. Aujourd'hui, tu as à la fois le savoir-faire nécessaire, et l'audace de passer à l'action.

Tu as une imagination merveilleuse qui te permet de transformer ton meilleur ami en un redoutable pirate, et la cuvette des toilettes en un puits à exaucer les vœux, un corps parfaitement entraîné qui te permet de traverser un centre commercial bondé à 50 km/h sur une trottinette, et des capacités motrices aiguisées à la perfection (qui te rendent par exemple capable d'anéantir une caméra numérique en moins d'une minute).

S'il y a quelque chose qui tu tiens particulièrement à faire, alors fais-le ! Saute dans ce beau tas de feuilles mortes qui viennent d'être ramassées, fais-toi une cabane sous la table de la salle à manger, et sors faire un tour dans le jardin entièrement nu. Remplis-toi les poches d'escargots et de vers de terre, asperge la maison des paillettes en tube, ou essaie de voir combien de fois tu arrives à sauter sur un lit double avant de tomber la tête la première dans la penderie. Parce que cette année est la dernière où tu peux crier ta joie de vivre sans aucune modération, ton ultime occasion de mettre une pagaille d'enfer, de te conduire comme un petit sauvage et de vivre dans la liberté la plus totale et la plus absolue, avant d'entrer à la Grande École. Profites-en tant qu'il est encore temps.

81 TOMBER DE LA GRANDE BALANÇOIRE

Tu as vu les grands de six ans se balancer très haut dessus, ceux de dix ans se mettre debout dessus et sauter, et des adolescents fumer assis dessus : maintenant, c'est ton tour à toi.

Les signes qui montrent que tu es prêt pour la Grande Balançoire :

* Tu as les jambes qui restent coincées dans la Petite Balançoire.
* Il y a la queue à la Petite Balançoire.
* Tu en as un peu marre.

Les moyens de tomber de la Grande Balançoire

* Lâcher pendant que ta maman te pousse, même si elle dit « ne lâche pas ».
* Se pencher en avant pour regarder un caillou.
* Se pencher en arrière pour regarder le ciel.
* Essayer d'esquiver un copain qui vient voir ce que tu fais sur la Grande Balançoire.

À noter : quelle que soit la façon dont tu tombes de la Grande Balançoire, ça n'a pas d'importance… ce sera toujours la faute de ta maman.

82 REFUSER QUE TA MAMAN VIVE PAR PROCURATION À TRAVERS TOI

Ta maman t'a inscrit à des cours de danse, de tennis et de piano. Toi, tu n'as envie de faire rien de tout ça, tout ce que tu veux, c'est passer tes après-midi à jouer dans le jet de l'arrosage automatique, et à manger des Granola en regardant la télé, comme ta maman quand elle avait quatre ans. Il va falloir que tu te charges de lui mettre les idées au clair.

Le truc, c'est que ta maman veut que tu fasses toutes ces activités pour qu'elle puisse t'admirer, crâner d'avoir un enfant si doué... et s'éviter la peine de les faire elle-même. Ce qu'il faut que tu lui fasses comprendre, c'est que si elle aime tant la musique ou la danse classique, c'est peut-être elle qui devrait s'inscrire à des cours, plutôt que toi.

Mais une fois inscrit, comment faire pour y échapper ? Ça ne marchera pas si tu dis juste que tu veux arrêter : on t'accusera de « manquer de persévérance », surtout si ta maman t'a déjà acheté tout l'équipement nécessaire. Et si tu y vas en traînant des pieds et en ronchonnant, tu passeras pour un enfant ingrat. Heureusement, il existe un moyen très simple de mettre fin à tout ça une bonne fois pour toutes :

Être complètement nul en tout !

Les ambitions irréalistes de ta maman s'effaceront bien vite quand elle aura passé deux après-midi entiers à te regarder trébucher comme une nouille en tutu de danse. Elle arrêtera du jour au lendemain de s'extasier devant tes beaux dessins si tu te montres incapable d'apprendre à reconnaître les couleurs primaires. Et son rêve de te voir gagner une médaille olympique s'évaporera peu à peu si tu gardes des petites roues sur ton vélo jusqu'à ton douzième anniversaire au moins.

Ce qu'il y a de bien, c'est qu'une fois que ta maman sera redescendue sur terre, tu ne seras plus très loin des jets d'eau, des Granola et de la télé.

83 AFFIRMER AVOIR VU LE PÈRE NOËL

Nous savons tous bien entendu que le père Noël existe, mais en fait, personne ne le voit jamais faire sa tournée : il avance beaucoup trop vite. Et si tu rendais le Noël de ton papa et de ta maman un peu plus palpitant en jurant mordicus que tu l'as vu en train de livrer ses cadeaux ?

Ce qui compte vraiment, ce sont les détails, alors n'hésite pas à être très précis ! Dis-leur que tu l'as vu atterrir dans son traîneau sur le toit des voisins, que tous ses rennes étaient là, y compris Nicolas, le petit renne au nez rouge. Regarde comme tes parents sont perplexes quand tu leur expliques que le père Noël s'est assis sur la cheminée pour manger une part de bûche glacée et boire un petit verre d'eau-de-vie. Dis-leur qu'il est ensuite venu dans votre maison, que tu t'es caché sous la couette, et que tu l'as regardé mettre les cadeaux sous le sapin en faisant semblant de dormir. Puis qu'il t'a demandé si tu avais envie de l'accompagner livrer ses cadeaux en Norvège. Et que bien sûr, tu as dit oui, et vous avez passé un moment inoubliable ! Regarde la tête que font ton papa et ta maman : comme s'ils se retenaient de dire quelque chose, non ?

Annonce-leur avec les yeux qui brillent que même s'il est passé chez tous les petits garçons et toutes les petites filles du monde cette nuit, tu es le seul enfant qui ait eu le droit de monter dans son traîneau. C'est que tu dois être quelqu'un de vraiment exceptionnel, n'est-ce pas ?

Ne démords pas de ton histoire. Ton papa et ta maman n'ont aucun moyen de prouver que tu « racontes encore des cracks », de toute façon, si ?

84 FAIRE TON PREMIER MENSONGE

Mentir, ce n'est pas bien, mais c'est quand même un bon moyen d'obtenir ce qu'on veut. Ça peut aussi éviter quelques ennuis, permettre de rejeter la faute sur quelqu'un d'autre, et de se faire mousser devant ses amis. Il suffit de savoir un peu manier les mots, d'avoir un vague talent de comédien, et beaucoup d'imagination.

Voici quelques bobards classiques à essayer :

* Non, je ne l'ai pas volé, je l'ai trouvé au parc.
* C'est pas moi.
* C'est elle qui a commencé.
* J'ai le même chez moi, mais en plus gros.
* C'est le chien qui l'a mangé.
* Ma main a glissé.

Si ta maman te soupçonne de mentir, elle te fera asseoir et te dira en te regardant droit dans les yeux qu'elle serait encore plus fâchée contre toi d'avoir menti qu'elle ne le serait si tu disais la vérité et que tu reconnaissais ta faute. Ne tombe pas dans ce vieux piège grossier : en fait, il ne peut absolument rien t'arriver si tu te la boucles.

Ta maman te lira peut-être l'histoire de *Pierre et le loup* le soir avant de te coucher. Mieux vaut t'endormir avant qu'elle arrive à la fin.

85 NE PAS REMETTRE LE CAPUCHON SUR TES FEUTRES

Ne gaspille pas ton temps à reboucher tes feutres après avoir fait un coloriage : ça te prendra de précieuses minutes qu'on ne peut pas se permettre de perdre quand on est un enfant aussi occupé que toi.

Quelques autres façons de gagner du temps :

* Après un après-midi passé à faire des découpages, ne mets pas les chutes de papier à la poubelle. Laisse-les par terre.

* Ne termine jamais un repas ou une boisson.

* N'accroche pas ton manteau au portemanteau en rentrant à la maison. Jette-le par terre devant la porte et pars jouer.

* Ne range jamais tes chaussures. D'ailleurs, n'enlève jamais tes chaussures deux fois au même endroit.

Maintenant, cette « politique des feutres jamais rebouchés » va forcément susciter une légère hostilité. Mais ne te laisse pas désarçonner. Voici quelques-unes des choses que ton papa et ta maman ont toutes les chances de te dire, accompagnées de la réponse élémentaire qui te permettra de réaffirmer tes positions :

* [Papa] Tu sais, les feutres, ça coûte cher.

    OBJECTION : les feutres n'ont jamais été si peu chers. On en trouve en pochettes de 100 chez Carrefour à 2,50 €.

* [Maman] Quand j'étais petite, ma boîte de feutres devait me durer l'année entière.

    OBJECTION : c'est parce qu'elle n'a de toute évidence jamais essayé de les laisser débouchés. Mamie ou Papy lui en auraient probablement acheté de nouveaux si elle avait eu un peu plus de cran que ça.

* [Maman] Quand j'étais petite, une boîte de feutres, c'était mon plus gros cadeau de Noël.

    OBJECTION : c'est vrai, mais il faut dire qu'on n'a pas idée d'écrire « des feutres » sur sa liste au père Noël.

86 APPRENDRE À DÉTACHER TA CEINTURE DE SÉCURITÉ

Question : Comment briser le silence pendant un voyage en voiture long et ennuyeux ?

Réponse : Défaire ta ceinture de sécurité. Ça permet de relancer la conversation entre ton papa et ta maman.

C'est le moyen infaillible de surprendre tes parents pendant que vous roulez sur l'autoroute. Dis : « Regardez ce que j'ai fait ! » et descends sous leurs yeux ébahis derrière le siège passager pour récupérer une sucette à moitié terminée sur laquelle tu lorgnais depuis des mois. Écoute-les dire des choses comme :

* Freine ! Mais freine !
* Mais si, je l'avais attaché.
* Qu'est-ce qu'elle veut, cette voiture de flics ?
* C'est la faute de ma femme, monsieur l'agent.

À noter : en allant chercher ta maman au poste de police avec ton papa, il serait raisonnable d'accepter de ne plus jamais te détacher en voiture.

87 RÉALISER QUE LES SAUCISSES, C'EST DU COCHON MORT

Tu es allé à la ferme pédagogique, tu as donné du pain aux canards au parc, et tu commences même à réclamer d'avoir un animal à la maison. Alors le jour où tu découvriras que les bonnes saucisses que tu manges à dîner sont fabriquées avec du cochon, il est possible que tu sois un peu abasourdi.

Il te faudra sans doute du temps avant de découvrir « la Vérité ». La première fois que tu demanderas comment on fabrique les saucisses, ta maman te répondra : « Avec de la viande... Allez, mange-les. C'est bon pour toi. » Un jour, tu remarqueras qu'il y a toujours des images de cochons sur l'emballage et tu comprendras qu'il y a un rapport entre la viande et les animaux. Quand tu demanderas à ta maman si c'est les animaux qui nous ont donné les saucisses, elle te répondra : « Oui, en quelque sorte... Allez, mange. C'est bon pour toi. »

Puis vient le jour de la révélation. Tu as invité un nouveau petit copain à manger chez toi. En voyant les saucisses dans son assiette, il dit : « Je ne mange pas d'animaux morts. Je suis végétarien. » Tu restes silencieux quelques secondes le temps de bien comprendre, puis tu te tournes vers ta maman pour lui demander : « Est-ce que nous, on a mangé des animaux morts ? » Regarde comme elle hésite avant de te sourire tendrement en disant : « Oui, mon cœur, mais nous ne mangeons que des animaux qui ont eu une bonne vie. » Et observe comme elle essaie d'aller jeter discrètement le paquet de saucisses à la poubelle avant que la maman de ton copain vienne le chercher.

Ta maman s'inquiétera peut-être de savoir comment tu vas réagir la prochaine fois que tu iras à la ferme. Rassure-la bien vite en courant voir la porcherie, et en te penchant par-dessus la barrière pour dire : « Hé, toi, je vais bientôt te manger. » Ta maman sera bien soulagée.

88 PIQUER UNE CRISE À EURODISNEY

Il est possible que ça fasse un bout de temps que tu n'as pas piqué une bonne grosse crise. Si ça se trouve, ça fait bien deux ans. Mais n'oublie pas que les crises les plus réussies, ce sont toujours celles que tes parents n'ont pas vues venir : qui aurait pensé que tu pourrais faire une colère monstre pendant une chouette journée dans un parc à thème à quatre ans ?

Au cas où tu aurais oublié, voici comment faire :

1. Une fois que ta maman a dépensé environ une semaine de salaire pour entrer, tu peux accéder à tous les manèges et passer une super journée.

2. Essaie toutes les attractions et mange des sucreries à t'en rendre malade.

3. Quand ta maman te dit que c'est le dernier tour de la journée, commence à chouiner.

4. Monte dans une attraction.

5. Accroche-toi à la jambe de ta maman, en la suppliant de faire encore un tour.

6. Monte encore dans une attraction.

7. Demande un tout dernier tour. Cette fois-ci, ta maman refusera.

8. Mets-toi à pleurer.

9. Quand ta maman fait mine de partir sans toi, crie-lui dessus. À ce moment, elle reviendra vers toi, te prendra la main, et t'emmènera fermement vers le parking.

10. Roule-toi par terre. Mets-toi à hurler.

11. Laisse-toi faire comme un pantin mou. Il sera alors impossible à ta maman de te soulever.

12. Raidis-toi comme une planche. Ta maman ne pourra ainsi pas t'attacher dans la poussette, qui est conçue pour un enfant « assis ».

13. Regarde-toi dans le reflet d'une vitre : tu as vu comme tu en as, une drôle de tête ?

14. Ignore les passants qui te regardent bouche bée.

15. Continue à pleurer jusqu'à ce que tu sois complètement épuisé.

16. Fais-toi porter par ta maman jusqu'à la voiture. Endors-toi sur le trajet du retour.

17. Une fois la colère passée, c'est du passé. Oublie complètement qu'elle a pu avoir lieu.

89 CROIRE QUE LES JOUETS SONT VIVANTS

Comme il a été démontré dans le documentaire d'investigation *Toy Story*, et son excellente suite *Toy Story 2*, les jouets sont vivants.

Si les gens ne te croient pas quand tu le leur dis, en voici des preuves :

* Tu retrouves toujours tes jouets soigneusement alignés sur l'étagère en rentrant de l'école, alors que tu les avais laissés par terre en partant le matin.

* Tu as toujours du mal à retrouver ton doudou au moment de te coucher. Ce n'est pas parce que tu ne te souviens pas où tu l'as mis, c'est parce qu'il est parti faire une promenade dans la journée.

* Si tu ne joues pas avec des jouets pendant un certain temps, ils finissent par s'enfuir, le plus souvent pour aller dans des endroits comme des trocs ou des braderies. (Voir notes ci-dessous pour savoir comment les en empêcher).

* Les jouets ne se mettent à bouger que quand tu dors ou que tu es parti. C'est pour ça qu'ils restent totalement immobiles quand tu es là : ils sont épuisés de leur journée.

À noter : montre que tu joues avec tous tes jouets tout le temps en les étalant par terre tous les jours. Écris dessus au marqueur indélébile pour que ça se voie bien qu'ils sont à toi, comme ça s'ils disparaissent, quelqu'un viendra te les rendre.

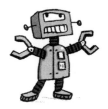

DE 4 À 6 ANS

ROMPRE AVEC LE REJETON DE LA MEILLEURE AMIE DE TA MAMAN

Ça lui aura pris quatre ans, mais ta maman vient enfin de retrouver une vie sociale, et elle s'est fait une amie : quelqu'un avec qui elle s'entend vraiment bien, pas juste une personne avec qui discuter du pour et du contre du vaccin contre l'hépatite B.

Le seul problème, c'est que tu n'aimes pas son enfant. Tu n'as rien de spécial à lui reprocher, mais c'est juste que vous n'avez aucuns atomes crochus. Tu seras peut-être tenté d'accepter d'aller jouer chez lui une fois ou deux pour que vos mamans puissent passer un agréable moment à discuter, mais réfléchis un instant. As-tu vraiment envie de passer tes vacances d'été avec cet enfant ? Ou de passer tes mercredis avec lui quand tu auras sept ans ? Si la réponse est « non », c'est maintenant qu'il faut couper les ponts. Ça peut sembler impitoyable, mais c'est moins cruel pour ta maman sur le long terme.

Ça va prendre du temps. Vas-y progressivement. Reste collé à ta maman au lieu de jouer avec ton « ami ». Monte sur ses genoux. Elle essaiera de te faire descendre, en disant que tu lui fais renverser son café, mais refuse de partir. Les mamans diront toutes les deux que peut-être que tu es fatigué, ou que tu couves quelque chose. Elles trouveront toutes les excuses possibles plutôt que d'exprimer leur plus grande crainte : que leurs enfants ne s'entendent pas bien.

Ensuite, fais monter la pression d'un niveau. Refuse de partager tous tes jouets. Tu peux aussi éventuellement laisser entendre que l'autre enfant a cassé quelque chose la dernière fois qu'il est venu, ou, si vraiment nécessaire, insinuer qu'il t'a frappé. Pour finir, mets-toi à simuler des cauchemars la veille de chaque invitation, pour montrer à ta maman à quel point tu es perturbé sans avoir à lui dire les choses clairement et simplement.

91 FAIRE UN SPECTACLE (MÊME SI TU N'AS AUCUN TALENT)

Tu veux la gloire ? Eh bien, la gloire, ça se mérite. Et c'est aujourd'hui qu'il faut commencer... en montant un spectacle dans ta chambre. Après tout, même Isabelle Huppert (Catherine Deneuve ? Danièle Darrieux ?) a bien dû faire ses débuts comme tout le monde.

Annonce aux adultes que « le spectacle va commencer dans dix minutes ». Puis monte te préparer dans ta chambre. Voici ce que tu dois faire :

1. Déguise-toi : mets des foulards, des colliers, et les chaussures de ta maman.
2. Fabrique des tickets d'entrée.
3. Éteins les lumières et ferme les rideaux.
4. Dispose des chaises ou des coussins sur lesquels s'assiéront les adultes.
5. Fais asseoir des peluches et des poupées sur les chaises et les coussins.

À l'arrivée du public, tu dois :

1. Distribuer les tickets.
2. Demander qu'on te rende les tickets.
3. Placer le public.
4. Expliquer que les peluches et les poupées ont besoin de chaises, et que les adultes doivent s'asseoir par terre.

Précipite-toi vers la « scène » et annonce : « Mesdames et Messieurs, le spectacle va commencer ! ». Le public t'applaudira. Puis va te cacher en pouffant de rire.

Maintenant :

1. Reviens sur scène.
2. Reste planté à essayer de te souvenir comment ton spectacle commence.
3. Rappelle-toi qu'en fait tu n'as pas préparé de spectacle.
4. Fais un petit numéro vite fait bien fait.
5. Mets-toi à sauter dans tous les sens en criant à tue-tête. Saute éventuellement sur un lit ou un canapé. Continue à faire autant de bruit que possible pour masquer tout silence gênant.
6. Au bout de quelques minutes, les adultes te demanderont de « chanter une chanson pour le final ». Dis-leur fermement que « le spectacle n'est pas encore fini ». Continue à crier.
7. Au moment où les adultes se lèvent pour partir, dis-leur qu'il va maintenant y avoir un entracte et que tu les rappelleras plus tard.
8. Malheureusement, tu risques d'avoir du mal à convaincre ton public de revenir. Tant pis pour eux, ça montre qu'ils ne connaissent rien à l'art.

AVOIR UNE PHOBIE

En ayant une phobie, tu montres que tu n'es pas n'importe quel enfant ordinaire et banal, mais une personne plus complexe et intéressante. Le plus simple est de commencer par une peur infantile classique : le noir, les gros bruits, le tonnerre, ou les araignées.

À noter : les adultes trouvent tout aussi inquiétant qu'un enfant se mette à collectionner les araignées dans des petites boîtes, surtout s'il commence à se proclamer Roi ou Reine des Araignées.

Parmi les grands classiques on trouve aussi la peur des clowns, le fait de croire dur comme fer qu'il y a un monstre sous ton lit, ou qu'une grande main va surgir par le trou des toilettes quand tu es assis dessus, et t'emporter dans les égouts.

À partir de là, tu peux commencer à passer à des phobies plus inhabituelles, comme par exemple la peur des gens qui portent des lunettes, ou des images de Jésus, ou encore l'impression que ta robe de chambre va se décrocher de la patère derrière la porte de ta chambre au milieu de la nuit, et se mettre à marcher vers toi.

Laisse ton papa et ta maman essayer de te raisonner en t'expliquant qu'avoir des phobies est complètement normal, que c'est une chose naturelle quand on grandit. Ça les rassurera sur eux-mêmes, et du coup ils t'offriront sûrement une glace.

93 RETIRER UN PANSEMENT D'UN COUP SEC

S'écorcher le genou, ce n'est pas grave. En plus, ensuite il faut mettre un pansement, et ça c'est chouette, surtout s'il y a les personnages dessus. Mais par contre, quand il faut le décoller le lendemain, c'est un moment beaucoup plus dur à passer... même si c'est nécessaire.

Le scénario :

1. Tu dis que tu ne veux pas qu'on te retire ton pansement.

2. Ta maman te répond qu'il faut que ta peau puisse respirer.

3. Tu arrives à la convaincre de te le laisser dans le bain pour qu'il se décolle dans l'eau.

4. Deux heures plus tard, tu sors du bain fripé comme un pruneau, mais le pansement est toujours intact.

5. Ton papa arrive et dit qu'il faut retirer le pansement.

Il y a deux catégories de papas quand il s'agit de décoller un pansement :

* Ceux qui : le décollent lentement. Auquel cas la douleur est moindre mais dure beaucoup, beaucoup plus longtemps.

* Ceux qui : le décollent d'un coup sec. Ça fait très mal, mais ça va vite.

La catégorie à laquelle ton papa appartient dépend en grande partie de son activité professionnelle. Les inspecteurs fiscaux, les architectes et les plombiers ont plus de chances de choisir la solution du « pansement qu'on décolle lentement », parce qu'ils aiment résoudre les problèmes par étapes progressives. Les policiers, les vendeurs et les professeurs d'EPS ont pour leur part une préférence pour le « pansement retiré d'un coup sec », parce qu'ils aiment obtenir des résultats avec des méthodes radicales et expéditives.

À noter : Si ton papa est médecin, rien de tout cela ne te concerne. Tu n'auras pas eu de pansement : on t'aura laissé nettoyer ton bobo toi-même.

94 NE JAMAIS SORTIR DE LA BOUTIQUE D'UN MUSÉE LES MAINS VIDES

Pour sortir d'un hôtel à Las Vegas, on est forcé de passer par les salles de jeux. Et pour sortir d'un musée ou d'une galerie d'art, on est forcé de passer par la boutique de souvenirs. Il faut absolument que tu achètes quelque chose. N'importe quoi, du moment que tu ne repars pas les mains vides. Si ta maman proteste, rappelle-lui que c'est sa faute, qu'elle n'avait qu'à pas t'emmener voir une rétrospective de l'œuvre de René Magritte : la moindre des choses serait qu'elle t'offre un taille-crayon souvenir.

Pourquoi les parents emmènent leurs enfants au musée :

* Pour les sensibiliser à l'art.

* Pour épater leurs amis d'avoir un enfant sensibilisé à l'art.

* Pour se persuader que leurs vies n'ont pas changé depuis qu'ils ont un enfant et qu'ils peuvent encore faire les sorties dont ils ont envie.

* Parce que c'est gratuit. Ou en tout cas moins cher qu'Eurodisney.

* Parce que c'est en intérieur. Au moins on est à l'abri quand il pleut.

Comme les musées ont été obligés d'entrer dans une logique de concurrence commerciale, le type de produits vendus dans leurs boutiques a fait des progrès phénoménaux. Ainsi, le Guide du Musée du Louvre a été remplacé par toute une collection de figurine Hello Kitty.

Quelques stratégies d'achat :

* Vise haut. Si tu réclames efficacement, tu obtiendras peut-être un robot qui parle, une peluche ou un ballon sauteur. Mais sois conscient que tu as plus de chances de te retrouver avec un dinosaure en plastique, une balle rebondissante ou une tasse avec ton prénom écrit dessus.

* Tout cadeau dépourvu d'aspect pédagogique est parfait et doit être accepté de bon cœur. Mais si tes parents persistent à dire que ce sera « un jouet éducatif ou rien », alors tu n'auras pas d'autre choix que de t'en contenter. Balance-le sous ton lit en arrivant à la maison et oublie-le bien vite.

* Ne te laisse jamais, sous aucun prétexte, fourguer une carte postale. C'est complètement nul comme cadeau.

* Un pot de confiture « Musées de France » n'est pas un cadeau approprié à un enfant.

95

TE FAIRE ACHETER LES « IT SHOES » DU MOMENT

Pour impressionner tout le monde le jour de la rentrée au CP, rien de tel que d'avoir les chaussures les plus tendances aux pieds. Aucune importance qu'elles tiennent bien au pied ou que tes parents doivent débourser une somme astronomique : du moment que ce sont celles que tout le monde veut, c'est un excellent choix.

Les modèles qui font le plus fureur sont ceux :

* Avec un dinosaure en hologramme : ça fait super peur !
* Avec des petites lumières clignotantes à l'arrière : plus on tape du pied, plus ça clignote.
* Avec des roulettes intégrées dans la semelle : génial pour les glissades sur les trottoirs.
* À effet caméléon : elles prennent la couleur de ce qui les entoure pour se camoufler (pas encore inventé, mais ça devrait venir).
* À clochettes au bout des lacets : ta maîtresse va adorer, surtout si tous les autres enfants de la classe ont les mêmes.

À éviter à tout prix :

* Les sandales à brides.
* Tout ce qui est noir, marron ou bleu marine.
* Les chaussures à scratchs (comment ça les bottines à lacets ce n'est pas pratique ?).
* Les tennis en toile.
* Tout ce que ta maman aime.

DE 4 À 6 ANS

POSTER TA LETTRE AU PÈRE NOËL AVANT QUE TA MAMAN AIT EU LE TEMPS DE LA VOIR

Comme le père Noël est quelqu'un de très occupé, mieux vaut lui poster ta lettre bien à l'avance. Ça ne fait rien que ce ne soit pas de la vraie écriture, il arrivera quand même à la lire. Ta maman semblera peut-être un peu contrariée que tu l'aies fait sans la consulter. Elle sera aussi très curieuse de savoir ce que tu as écrit dans ta lettre, mais ne lui dis rien.

Note à l'attention de ta maman : fouiller une boîte aux lettres de La Poste est un délit puni par la loi.

Ta maman te demandera des choses comme :

* Qu'est-ce que tu as demandé au père Noël ?
* Je vais voir les lutins du père Noël cet après-midi. Tu peux me dire ce que tu veux comme cadeau, et je leur transmettrai ?
* Tu ne pourrais pas au moins me donner un indice ?
* Ou simplement : Allez, dis-moi ce que tu veux pour Noël !?!?!?

Il n'y a qu'une seule réponse à toutes ces questions : « Le père Noël sait déjà ».

Astuce : *au cas très improbable où le père Noël se tromperait et ne t'apporterait pas le bon cadeau, tu pourrais alors dire à tes parents ce que tu lui avais demandé, pour qu'ils puissent aller te l'acheter le lendemain de Noël. Ça a encore plus de chances de marcher si tu pleures en le leur disant.*

97 DIRE TOUS LES SECRETS DE FAMILLE À TA BABY-SITTER

La prochaine fois que ton papa et ta maman sortent le soir, profites-en pour rester debout toute la soirée à faire la conversation à ta baby-sitter. Elle sera ravie d'apprendre toutes les choses inavouables qui se passent dans l'intimité de ta famille – surtout si elle en fait partie ! – et en plus, elle te donnera un peu de ses chips.

Voici quelques exemples de choses passionnantes à confier :

* « Papa fait des prouts quand il est au lit. »

* « Maman aime bien regarder la télévision allongée dans le canapé pendant tout l'après-midi en mangeant des Pringles. »

* « Papa et Maman sont toujours là quand tu téléphones, mais ils me disent de ne pas répondre parce que tu es "un vrai moulin à paroles" ».

* « Papa et Maman envisagent de partir habiter bientôt dans un autre pays, mais ils ne veulent pas que tu le saches » (celle-là sera particulièrement appréciée de ta grand-mère si c'est elle qui te garde).

* « Papa a perdu son travail et doit se cacher dans sa chambre quand quelqu'un vient à la maison dans la journée. »

* « Papa trouve que je suis beaucoup plus intelligent que tes enfants. Et plus beau, aussi. »

* « Maman trouve que tu te teins les cheveux beaucoup trop foncé. »

* « Maman dit que c'est dommage que tu sois mariée avec tonton Xavier. Elle trouve que tu vaux mieux que ça. Ça veut dire quoi que tu "vaux mieux que ça ?" »

98 AVOIR UN SUPERPOUVOIR

Les jouets et la télé, c'est bien, mais ne laisse pas les lois de la physique restreindre tes possibilités de jeu. Et si tu découvrais un superpouvoir ? Quelque chose comme la télépathie, la capacité de respirer sous l'eau, la perception transdimensionnelle, ou la faculté de voyager dans le temps. C'est exactement comme ce que ta maman dit sur les fées : si tu crois que tu as vraiment des superpouvoirs, alors tu as des superpouvoirs. Tout est une question de conviction.

* Ferme les yeux. Tu ne vois personne, ce qui veut dire que personne ne te voit. Donc tu es invisible.

* Si tu sais voler, il vaut sans doute mieux attendre la nuit pour le faire, quand tout le monde est couché, sinon tous les autres enfants risquent d'être jaloux.

* Utilise tes pouvoirs magiques pour faire venir la pluie ou le soleil. Si tu te concentres bien, ça marchera.

* Ta maman dit toujours que tu cries beaucoup trop fort quand tu lui demandes quelque chose. Explique-lui que c'est parce que tu as un cri supersonique, qui te permet d'émettre des ondes vocales de beaucoup plus grande amplitude que les êtres humains normaux.

Malheureusement, ces pouvoirs finiront par disparaître. Tout comme Superman perdait les siens et s'affaiblissait au contact de la kryptonite, toi, il y aura bientôt les plus grands à l'école pour te dire que tu n'as pas de superpouvoirs. Mais quand tu seras devenu adulte et que tu repenseras à ton enfance, au moins tu te souviendras qu'à une époque tu volais par-dessus les toits à la nuit tombée, ou tu arrivais à rétrécir à la taille d'une fourmi. Alors profites-en bien maintenant !

NE PAS TE LAISSER IMPRESSIONNER PAR LES MENACES EN L'AIR DE TON PAPA

Ton papa dit que ce n'est pas bien de mentir, et pourtant parfois c'est ce qu'il fait, quand il te fait des menaces en l'air. C'est-à-dire quand il promet de t'administrer une punition terrible si tu ne fais pas ce qu'il te dit, alors qu'il n'a aucune intention de la mettre à exécution.

Voici des situations classiques dans lesquelles tu te retrouveras peut-être :

* Menace en l'air n° 1 : « Si tu ne termines pas ton petit déjeuner tout de suite, on ne partira pas en vacances. »

  La vérité : ton papa a déjà dépensé plein d'argent pour réserver les vacances, et quoi qu'il arrive, vous partez dans une demi-heure.

* Menace en l'air n° 2 : « Si tu ne ranges pas ta chambre, je vais appeler la maman de Max et je vais lui dire que tu n'iras pas chez lui. »

  La vérité : ton papa s'est déjà organisé pour aller jouer au golf, son copain va venir le chercher, et tu vas aller chez Max.

* Menace en l'air n° 3 : « Si tu n'obéis pas, j'appelle la police. »

La vérité : bien sûr que non, qu'il ne va pas appeler la police. Aller se coucher sans se brosser les dents n'est pas un crime, et ton papa aurait des ennuis parce qu'il fait perdre son temps à la police.

En bref, voilà ce qui devrait se passer s'il fait ce genre de menace :

1. Tu lui dis : « D'accord, vas-y. »

2. Il répond : « Très bien, c'est ce que je vais faire ». Peut-être ira-t-il jusqu'à décrocher le téléphone.

3. Vous vous regarderez droit dans les yeux avec un air de défi.

4. Reste impassible, ne sois pas le premier à cligner des yeux.

5. Ton papa te donnera une chance de changer d'avis.

6. Reste sur tes positions.

7. Ton papa finira par céder en disant quelque chose comme : « Tu es impossible. Allez, monte dans la voiture. »

Regarde bien la tête qu'il fait : tu as vu comme il rougit toujours un peu quand tu le surprends à te raconter des bobards ?

RENTRER AU CP

Ça fait plusieurs semaines que ça se prépare doucement. On t'a coupé les cheveux, tes chaussures sont cirées, et tu as été pris en photo avec ton cartable. Tout ça ne peut vouloir dire qu'une chose : la rentrée au CP approche.

Ta maman te fait un bisou et te donne une pomme pour le goûter. Ton papa te passe la main dans les cheveux en disant qu'il est fier de toi. Ton papy marmonne quelque chose comme quoi tu ne connaîtras plus la vraie liberté avant le jour où tu prendras ta retraite. Tout nerveux, tu passes le portail de l'école en souriant timidement aux autres enfants qui font leur première rentrée « de grand » aussi. Ta maîtresse descend dans la cour pour accueillir les enfants de sa classe. On te montre où sont ta classe et ton portemanteau. Au bout d'un moment, on demande à ton papa et à ta maman de partir. Ils sourient courageusement et s'en vont, en retenant leurs larmes.

Ta journée se passe sans encombre. La maîtresse fait le plan de la classe, tu fais des lignes de « A », et il y a un terrain de foot dessiné sur le sol de la cours de récréation. Ce n'est vraiment pas le bagne. Tu commences même à te demander pourquoi tout le monde en a fait toute une histoire.

Tu rentres chez toi à la fin de la journée tout content que ce jour si important se soit passé sans incident, et heureux de pouvoir reprendre ta vie normale. Puis tu vois ta maman en train de préparer ton cartable et de te sortir d'autres vêtements propres. Tu la regardes, dérouté, et tu lui demandes :

« QUOI ? IL FAUT QUE J'Y RETOURNE DEMAIN ? »

Imprimé en Italie par Lego
Dépôt légal : août 2010
ISBN: 978-2-501-06641-9
4057386